미로 속 일상

출구는 있다

프롤로그(prologue) : 미로 속 일상, 출구은 있다.

복잡하게 급변하는 우리의 일상은 마치 미로와 같다. 끝없이 펼쳐진 길들과 끊임없이 변화하는 상황 속에서 우리는 방황하며 나만의 길을 찾아 헤매고 있다.

이 책은 "나"라는 존재가 일상적인 삶의 미로 속에서 길을 찾아 헤매는 여정을 일상 사례별로 담고 있다. 기억의 미로, 일상 속 미스터리, 꼬인 실타래, 바다에서 방향키를 잃은 배처럼 방황하는 "나"를 다시 되돌아보는 좋은 기회가 되는 책이다.

AI 시대라는 새로운 시대 속에서 우리는 더욱 빠르게 변화하는 세상에 적응해야 한다. 이런 변화에 휩쓸리지 않고 나만의 가치와 방향을 잡는 것은 내가 만드는 것이다. 다른 사람이 나를 위해 만들어주는 것이 아니다. 나의 삶을 만들 수 있는 곳은 먼 곳에 있는 것이 아니라 가까운 곳에 있다. 바로 나의 일상생활 속에서 있다.

미로와 같은 일상생활에서 지처가는 나에게 다음과 같은 질문을 던져 본다. 나는 누구인가?, 내가 원하는 삶은 무엇인가?, 어떻게 살아야 행복한가?. 지금까지 나의 삶은 원하는 삶이 아닌 필요에 의한 삶은 아니었는지, 돈만 많이 벌면 된다는 생각으로 살았는지, 가족보다 일 또는 사업이 우선시 되었는지 등 반추할 시간이 필요하다 우리는 일상생활 속에서 발생하는 일들을 가감없이 당연하다고 생각한다. 소소한 나의 잘못된 일도 그냥 지나치거나 무시하고 산다. 우리는 일상생활 속 이러한 낯선 미로에 놓여있다. 어떤 사람들은 어디로 가야 할지, 어떻게 나갈지 알 수 없는 미로에 있다는 사실을 잊어버리고 산다. 그렇게 그냥 세월이 흐르는 대로 방향과 목적 없이 산다.

이들의 일상은 두려움과 불안감에 휩싸여 헤매고 있고, 과거의 기억은 흐릿하고, 현재는 혼란스럽고, 미래는 불투명하며, 일상은 미스터리로 가득하고, 꼬인 실타래처럼 얽혀 있다. 바다에서 방향키를 잃은 배처럼 방황하며, 나 자신은 내 삶을 위해 고군분투하고 있다고 생각한다. 하지만 하는 일마다 되는 일이 하나도 없다고 불평만 한다.

이와 같이 끊임없이 선택과 결정을 해야 하는 일상적인 삶의 여정은 마치 미로를 헤매는 것과 같다. 때로는 길을 잃고 방황하기도 하고, 때로는 막다른 골목에 부딪히기도 한다. 하지만, 포기하지 않고 계속 나아가야만 출구를 찾을 수 있다.

이 책은 출구를 찾기 위해 일상적인 삶을 탐험하는 여정을 이야기한 것이다.

이 책의 구성은 총 4장으로, 1장은 나를 찾는 미로: 기억, 일상, 관계 속에서 나 자신을 찾는 여정. 2장은 관계의 미로: 사람들과의 관계에서 배우고 성장하는 경험, 3장은 선택의 미로:

중요한 선택을 통해 나만의 길을 개척하는 과정, 4장은 행복의 미로: 행복을 찾고 삶의 의미를 찾는 탐험으로, 사례와 예시 중심으로 쉽게 일상에 적용할 수 있게 구성했다.

이 책을 읽은 사람은 일상적인 삶의 의미와 방향을 찾고 싶은 사람, 사람과의 관계와 소통에 대한 어려움을 겪는 사람, 더 나은 삶을 살고 싶은 사람, 소소한 일에서 즐거움과 행복을 만끽하고 싶은 사람, 의사결정력이 문제가 있는 사람, 생각과 상상은 많으나 실천력이 부족한 사람 등에게 필요하다.

독자는 이 책을 읽고 무엇을 얻을 수 있을까? 이 책은 읽고 자신을 이해하고 성장하는 기회, 가족, 친구, 동료 등 사람과의 관계 개선과 소통 능력 향상, 일상의 소소한 것으로부터의 행복과 성공을 위한 지혜와 방법, '나는 할 수 있다'는 가능성의 문에 머물러 있지 않고 '나는 한다' 라는 실천의 문으로 나갈 수 있는 용기와 도전 등을 얻을수 있다.

이 책은 독자들이 자신의 삶을 돌아보고, 나만의 지도를 만들어 나가는 데 도움을 주는 나침반이다.

목차

2장. 관계의 미로: 함께 길을 만들다

3장. 선택의 미로: 나만의 길을 택하다

4장: 행복의 미로 : 나만의 지도를 만들다

1장

나를 찾는 미로
: 혼자만의 길을 찾다

입구

출구

1. 기억의 미로에서 길을 잃다(그거 있잖아)

'그거 있잖아'는 다양한 의미를 가지고 있다, '그거 있잖아'는 상황에 따라 해석이 달라질 수 있다. 상대방과 함께 경험했거나 알고 있는 사물, 사건, 개념 등을 언급할 때 직접적인 명칭을 사용하지 않고 간접적으로 표현하는 방식이며, 대화의 흐름 속에서 언급되었던 내용을 다시 언급할 때 이미 나온 내용을 반복하지 않고 간결하게 표현하는 방식이다. 또한 말하고자 하는 내용을 떠올리지 못하거나 명확하게 표현하지 못할 때 막막함을 느끼거나 생각이 정리되지 않을 때 사용하는 표현하는 방식이다.

우리는 집에서 가족과, 직장에서 직원과, 학교에서 친구와, 사회에서 지인과 이야기를 할 때 '그거 있잖아.' 라는 말을 자주 사용한다.

"그거 있잖아! 그거, 그거 몰라?. 그거 있잖아... 그거 말이야.."

"그거 뭔지 몰라? 생각해봐 그거, 그거 말이야... 그거 그거 생각 안 나..."

"그거 있잖아. 그거."

"그거가 뭔데. 그거?"

"그거! 그거 하라고."

"뭘 하라고?"

'그거 있잖아' 사례는 많다. 몇가지 사례를 보자

사례1 : 아침식탁에서

엄마: 아침 밥 먹고 학교 가야지. 오늘 시험보지?

아들: 엄마, 시험 범위 뭐였더라? 그거 있잖아, 그거...

엄마: 어떤 거야?

아들: 그거 말이야... 어제 선생님 말씀하신 그거... 아, 그거 기억 안 나네...

엄마: 그럼 암기 안 했구나? 시험 걱정은 나중에 하고, 밥 먼저 먹어!

아들: 아... 그래.

(아들은 밥을 먹기 시작하지만, 시험 걱정으로 풀이 죽는다.)

사례2 : 저녁식탁에서

아빠: 아들아, 내일 학교 수업은 뭐야?

아들: (혼잣말로) 그거 있잖아... 그거, 그거 몰라? 그거 말이야...

엄마: 얘야, 뭐 그러니? 엄마도 궁금하네.

아들: 그거 뭐지... 선생님이 그거, 그거 하라고 하셨는

데... (기억을 더듬는 듯)

아빠: 그거가 뭔데? 그거?

아들: 아... 그거! 그거, 그거... (손짓을 하며 머리를 긁는다)

엄마: 그거 그거 하라고? 뭘 하라고?

아들: (어깨를 으쓱하며) 그냥... 그거...

아빠: (아들을 쳐다보며 웃음을 터뜨린다) 그거 그거 하라고? 그거 그냥 '알겠습니다' 라고 하는 거잖아!

아들: (눈을 떠올리며) 아, 맞아! 그거 그거! 알겠습니다!

엄마: 얘야, 다음에는 그냥 '알겠습니다'라고 하렴.

아들: 네, 엄마. 그거 있잖아... 그거 말이야...

아빠: (아들을 재치있게 쳐다보며) 그거 그거, 알겠어!

아들: 네, 아빠!

사례3 : 슈퍼마켓에서

아내: 오늘 저녁 메뉴 뭐 먹을까?

남편: 그거 있잖아, 너가 그동안 먹고 싶어했던 그거.

아내: 어떤 거야?

남편: 그거 말이야... 그때 레스토랑에서 먹었던 그거... 아,그거 이름이 뭔데...

아내: 그럼 뭘 어떻게 해?

남편: 그냥 슈퍼 구경하면 떠오르겠지.

(부부는 슈퍼를 구경하지만, 남편은 아내가 원하는 음식을 기억하지 못한다.)

사례4 : 친구와의 대화

친구1: 그 영화 어땠어?

친구2: 그거 있잖아, 너도 봤잖아.

친구1: 어떤 거야?

친구2: 그거 말이야... 그때 같이 봤던 그거... 아, 그거 배우 이름이 뭔데...

친구1: 그럼 몰라. 그 영화 재밌었어?

친구2: 그거 재밌었는데... 그런데 그거...

(친구들은 서로 영화 내용을 이야기하려 하지만, 영화 제목과 배우 이름을 기억하지 못해 어려움을 겪는다.)

사례5 : 남편과 대화에서

남편: 요즘 면역력이 떨어져서 자주 감기도 걸리고 피곤해.

아내: 맞아. 나도 최근에 자주 아픈 것 같아. 스트레스 때문인가?

남편: 스트레스도 있겠지만... 그거 있잖아.

아내: 그거?

남편: 음... 면역력을 높여주는 영양소?

아내: 아~, 비타민C?

남편: 맞아! 비타민C!

아내: 비타민 C가 풍부한 과일이나 채소를 열심히 먹어야겠다.

남편: 맞아. 오렌지, 키위, 브로콜리... 열심히 먹어야겠다.

사례6: 프로젝트 관련 회의에서

팀장: 그 프로젝트 진행 상황 어떠세요?

팀원: 그거 있잖아요, 팀장님도 잘 아시는 그 프로젝트...

팀장: 어떤 프로젝트야?

팀원: 그거 말이야... 그때 회의에서 말씀하셨던 그거... 아, 그거 코드 이름이 뭔데...

팀장: 그럼 제가 다시 설명해 드릴게요.

(팀원은 팀장에게 프로젝트 상황을 설명하려 하지만, 프로젝트 이름과 코드 이름을 기억하지 못해 팀장의 질문에 제대로 답변하지 못한다.)

'그거 있잖아'는 말은 종종 혼란을 야기한다. 상대방에게 명확한 의사소통을 위해 구체적인 단어를 사용하는 것이 중요하다.

[출구 팁] 명확한 의사소통 사용법

1. 구체적인 용어 사용 : 가능하다면 "그거" 대신 명확한
   용어를 사용하여 오해를 방지한다.
2. 맥락 제공 : "그거"가 무엇을 의미하는지 설명하거나
   힌트를 제공하여 상대방의 이해를 돕는다.
3. **능동적인 의사소통 : "그거 있잖아" 에만 의존하지 않고,**
   적극적으로 의사 표현을 하여 원활한 대화를 이어간다.

2. 일상속 미스터리(아무거나)

"아무거나"는 마법 주문처럼 일상에 숨어 있는데, 가끔은 달콤한 위로가 되고, 가끔은 짜증나는 딜레마를 불러일으키기도 한다. '아무거나'는 긍정적 의미와 부정적 의미로 해석될 수 있다. 긍정적인 의미는 특별한 선호도 없이 무엇이든 괜찮다는 의미이고, 선택의 폭을 넓혀주고, 상대방에게 주도권을 넘겨주는 긍정적인 의도를 나타낼 수 있다. 반면 부정적인 의미는 무관심하거나, 소극적인 태도를 나타낼 수 있고, 선택에 대한 책임감을 회피하거나, 의사결정을 포기하는 것으로 해석될 수 있다. 일상생활에서 많이 일어나는 사례를 보자

사례1. 아침 식탁의 딜레마
"오늘 아침 뭐 먹지?" 아내의 다정한 질문에 남편은 고개를 갸웃거린다. "아무거나 좋아. 나는 뭘 먹어도 괜찮아." 남편은 아내가 선택하는 맛있는 아침 식사를 기대하며 신문을 펼친다.
반면 아내는 난감한 표정으로 고민에 빠진다. 남편은 싫어하는 음식이 거의 없지만, 오늘은 특별히 뭘 먹고 싶어하는지 알 수 없어 선택에 어려움을 겪는다.

"토스트는 어때? 계란 프라이는 싫어하지?" 아내의 조심스러운 제안에 남편은 무심코 대답한다. "음... 좋아. 괜찮아."

토스트를 굽는 동안 아내는 남편의 표정을 살핀다. 과연 남편은 토스트를 좋아하는 걸까? 아내는 남편의 진심을 알 수 없어 불안감을 느낀다. 남편은 토스트를 먹으면서도 아내가 뭘 원했는지 궁금해한다.

사례2. 쇼핑몰의 끝없는 미로

"오늘 뭐 입고 갈까?" 친구와의 약속을 앞둔 여자는 옷장 앞에서 고민에 빠진다. 옷장은 옷은 많이 있지만, 입고 싶은 옷은 하나도 없는 것 같다.

"아무거나 입어도 괜찮아. 너무 신경 쓰지 마." 친구의 말에 여인은 더욱 혼란스러워진다. 친구가 진심으로 말하는지, 아니면 자신의 선택을 떠넘기는 것인지 알 수 없기 때문이다.

여자는 몇 시간 동안 옷을 뒤져보지만 결국 아무것도 선택하지 못한다. 결국 친구에게 연락하여 다른 날로 약속을 연기한다. 친구는 여자친구의 옷장을 보며 한숨을 쉰다.

사례3. 식당 메뉴의 달콤쌉싸름한 유혹

"여기 메뉴 너무 많아서 고르기 힘들어..." 친구와 함께 식당에 온 남자는 메뉴판을 보며 푸념한다. 메뉴판에는 수십 가지 메뉴가 적혀 있으며, 남자는 어떤 것을 선택해야 할지 막막하다.

"아무거나 먹어도 맛있어." 친구의 말에 남자는 더욱 혼란스러워진다. 친구가 진심으로 말하는지, 아니면 자신의 선택을 떠넘기는 것인지 알 수 없기 때문이다.

남자는 결국 메뉴판을 뒤져보며 가장 눈에 띄는 메뉴를 주문한다. 하지만 음식이 나온 후에는 그다지 만족스럽지 않다. 친구는 남자의 표정을 보며 씁쓸한 미소를 지는다.

사례4. 결혼식 선물의 고민

"결혼 선물 뭘 줄까?" 친구의 결혼식이 다가오면서 선물 고민은 점점 커진다. 친구의 취향은 알지만, 정말 원하는 것이 무엇인지 알 수 없다.

"아무거나 좋아. 너 마음대로 하면 돼." 친구의 말에 더욱 고민이 깊어진다. 친구가 진심으로 말하는지, 아니면 자신의 부담을 덜기 위해 말하는지 알 수 없기 때문이다.

결국 여러 가지 선물을 고민하다가, 친구에게 직접 물어보기로 한다. 친구는 자신의 진심을 털어놓고, 원하는 선물을 알려준다. 선물을 받은 친구는 감동하며 진심으로 고맙다는 말한다.

"아무거나"라는 말은 편안함을 주는 것처럼 보이지만, 실제로는 선택의 부담을 넘기고 상대방에게 불편을 줄 수 있다. 진정한 소통을 위해서는 자신의 의사를 명확하게 표현하고 상대방의 의견을 존중하는 것이 중요하다.

[출구 팁] '아무거나' 말할 때 주의할 점

1.긍정적인 의미로 사용하기 위한 팁
  . 구체적인 맥락 제공 : '아무거나'를 사용하기 전에 어떤 맥락에서 사용하는지 명확하게 설명하는 것이 좋다.
  . 긍정적인 의도 표현: '아무거나'를 통해 상대방에게 선택권을 주고, 새로운 가능성을 열어준다는 긍정적인 의도를 표현하는 것이 중요하다.

2.부정적인 의미로 해석되는 것을 방지하기 위한 팁:
  . '아무거나'를 과도하게 사용하지 않도록 주의 : '아무거나'를 자주 사용하면 무관심하거나, 소극적인 태도로 해석될 수 있다.

. 책임감 있는 태도 유지 : 선택에 대한 책임감을 회피
  하지 않고, 적극적인 의사 결정을 보여주는 것이 중요
  하다.

3. 꼬인 실타래를 풀다(남의 탓, 내 탓)

남의 탓, 내 탓은 우리의 생활에서 빈번히 일어난다. 일이 잘 안되면 남의 탓이고, 일이 잘되면 내 탓으로 여긴다. 나쁜 것은 남의 탓이고 좋은 것은 다 내 탓이다. 소소한 일상사에서. '이건 너 때문이야. 네가 잘못했잖아.', '이건 내 실력 때문이야. 나 대단하지.'라고 해. 남의 탓, 내 탓은 원인과 과정을 보지 않은 채 결과만 보고 좋은 것은 내 탓으로, 나쁜 것은 남의 탓으로 한다. 소소한 일상사에서 일어나는 남의 탓, 내 탓 사례를 보자.

사례1. 시험 성적 논쟁
"시험 성적이 안 좋네. 열심히 공부했는데..." 아들의 시험 성적을 보고 화를 참지 못하는 엄마는 아들에게 잔소리한다. "엄마, 제가 열심히 안 해서 그런 거 아니에요. 선생님이 너무 어려운 문제를 출제하셨어요." 아들은 자신은 잘못이 없다고 주장하며 선생님의 탓으로 돌린다.
"네가 열심히 안 했기 때문이야. 다른 학생들은 다 좋은 성적을 받았잖아." 엄마는 아들의 변명을 듣지 않고 계속 탓한다.
아들은 억울한 마음에 방으로 들어가 문을 닫는다. 엄마는 아들의 태도에 화를 내지만, 혹시 자신도 아들의 시험 성적에 대한 책임이 있는지 생각해 보지 않는다.

사례2. 부부 갈등

"저녁 메뉴가 왜 이렇게 심심해? 맛있는 거 하나도 없네." 남편은 아내가 준비한 저녁 식사를 보며 불만을 토한다. " 내가 얼마나 바쁜지 모르면서 그래? 네가 좋아하는 메뉴를 만들려고 시간을 투자했는데..." 아내는 남편의 불만에 화를 낸다.

남편은 아내의 노력을 인정하지 않고 계속 불평한다. 아내는 남편의 태도에 실망하며 식탁을 떠난다. 남편은 혼자 식사를 하면서 혹시 자신도 아내에게 불만을 털어놓는 것이 잘못되었는지 생각해 보지 않는다.

사례3. 회의의 난관

""이번 프로젝트가 실패한 건 모두 너 때문이야. 너가 제대로 보고하지 않았기 때문에..." 상사는 부하 직원에게 화를 낸다. "저는 제가 할 수 있는 최선을 다했어요. 다른 부서에서 협조를 해주지 않아서..." 부하 직원은 자신은 잘못이 없다고 주장하며 다른 부서의 탓으로 돌린다. 상사는 부하 직원의 변명을 듣지 않고 계속 탓한다. 부하 직원은 억울한 마음에 퇴근한다. 상사는 프로젝트 실패의 책임을 모두 부하 직원에게 묻지만, 혹시 자신도 프로젝트 실패에 대한 책임이 있는지 생각해 보지 않는다

사례4. 갈등의 소용돌이
"너 때문에 다 망쳤어!" 친구의 화난 목소리에 멍하니 서 있었다. 친구와의 약속을 깜빡 잊은 친구는 죄책감을 느꼈지만, 친구의 과도한 비난에 화가 났다. 친구는 자신의 잘못을 인정하기보다는 친구의 불이익을 탓하기 시작했다.

"내 탓이오." 이 단순한 단어는 우리 삶에 큰 변화를 가져올 수 있다. 남의 탓으로 돌리는 것은 문제를 해결하지 못하며, 오히려 갈등을 심화시킬 뿐이다. 반면, 자신의 잘못을 인정하고 책임감을 갖는 것은 성장의 시작이다.

남을 탓하면 변화는 일어나지 않는다. 남을 탓하는 것은 우리가 변할 필요가 없다고 생각하기 때문이다. 문제가 나에게 있다고 인정하면, 변화를 위해 노력하게 된다. '내 탓이오'라고 말하는 것은 변화를 시작하는 첫걸음이다. 그렇지만 모든 것을 자신의 탓으로만 돌리면, 그것은 자기

자신을 괴롭히는 것이 될 수 있다. 스트레스를 받게 만든다. 그러니 '내 탓이오'라고 하기 전에, 남의 탓과 내 탓을 멈추고, 자신과 솔직하게 대화하는 시간을 가져야 한다. 모든 일은 나 자신으로부터 시작하고, 나 자신으로부터 끝나기 때문이다. 일상에서 "내 탓이오"라는 말은 꼬인 실타래를 풀고 새로운 시작을 가능하게 하는 촉매제가 될 수 있다. 그것은 우리를 더 성숙하고 책임감 있는 사람으로 만들어 줄 것이다.

[출구 팁] '남의 탓, 내 탓'에 대한 건설적인 대화법
 # 상황 : 친구와 약속 시간에 늦게 도착했을 때

[남의 탓]
비난 : "너 때문에 약속 시간에 늦었잖아!"
감정적 대응 : "너 왜 이렇게 늦게 오는 거야? 짜증 나!"
비건설적인 대화 : "너 이렇게 시간 약속 못 지키는 거 처음이 아니잖아."

[내 탓]
자책: "미안해, 너무 늦게 도착해서. 내가 더 빨리 나왔어야 했어."

책임 과도 부담: "내가 시간 잘못 계산해서 미안해. 너 탓은 아니야."

문제 해결: "미안해. 앞으로는 시간 엄수하도록 노력할게."

[건설적인 대화]

"약속 시간에 늦게 도착해서 미안해. 혹시 내가 뭘 더 잘해야 했을까?"

"너도 약속 시간에 늦게 오는 거 자주 있는 것 같아. 혹시 내가 더 도와줄 수 있는 부분이 있을까?"

"앞으로는 서로 시간 엄수하도록 노력해서 약속 시간에 늦지 않도록 하자

"앞으로는 어떻게 해야 할까?", "함께 해결책을 찾자"와 같이 미래 지향적인 대화를 이어가야 한다. 어떤 일이 발생하든 비난과 책임 추궁보다는 문제 해결에 집중하자.

4. 바다에서 방향키를 잃은 배처럼(목표의 유무)

목표 없는 삶은 방황과 좌절만을 가져다준다. 목표는 삶의 방향을 제시하고 성공으로 이끄는 지도와 같다. 1953년 예일대 졸업생 대상 조사 결과와 사례를 보자

사례1. 1953년 예일대학교 졸업생을 대상으로 다음과 같은 질문을 했다. "지금 현재 당신은 구체적인 목표를 글로 써서 가지고 있습니까? 이 질문에 졸업생의 3%는 구체적인 목표를 써서 가지고 있었고 졸업생의 97%는 없거나 생각만 했다고 답했다. 그 뒤 20년이 지난 후 1953년 졸업생 중 생존자를 대상으로 성공 여부를 조사한 결과, 구체적인 목표를 쓴 3%가 목표가 없는 97%보다 재산이 훨씬 많았다는 조사결과가 나왔다. 즉 "목표를 가지고 있느냐, 없느냐"라는 유무의 차이가 결국 삶의 큰 차이로 나타났다.

사례2: 꿈을 향해 날아오른 예술가 Michael.
어릴 때부터 그림을 좋아했던 Michael는 유명한 화가가 되는 꿈을 꾸었다. 그녀는 끊임없이 그림을 그리며 실력을 키웠고, 미술 대학에 진학하여 전문적인 교육을 받았

다. 다양한 미술 공모전에 참여하며 경험을 쌓았고, 끈질
긴 노력 끝에 유명한 미술관에서 개인전을 열었다.
Michael는 자신의 작품으로 세상을 감동시키는 꿈을 이
루었다

사례 2: 사회를 변화시킨 변호사 James.
불의를 참지 못하고 정의로운 세상을 꿈꾸던 James는 사
회적 약자를 돕고 부패를 없애는 변호사가 되기로 결심했
다. 명문 법학대학을 졸업하고 사법시험에 합격한 그는
대형 로펌에서 경험을 쌓은 후 자신의 사무실을 개업했
다.James는 사회적 약자를 위한 무료 변론을 맡아 많은
사람들을 돕고, 부패 정치인을 고발하여 사회 변화를 이
끌었다.

사례3: 동물보호라는 목표를 가진 직장인 George.
평범한 회사원 George는 퇴직 후 동물 보호소 운영이라
는 꿈을 가지고 있었다. 직장 생활을 하면서 동물 보호
봉사활동에 참여하고 동물 관련 지식을 쌓았으며, 동물보
호 관련 자격증을 취득했다. 퇴직 후 동물 보호소를 설립
하고 운영하며 버려진 동물들을 돌보고 새로운 가족을 찾
아주었다.

바다에서 방향키를 읽으면 어떻게 되는지 알죠. 우리는 소소한 일상의 생활 방향키를 가지고 있어야 한다. 목표가 없는 일상의 삶은 방향키 없이 일상의 미로를 헤매는 것과 같다. 작은 목표부터 시작하여 꾸준히 노력하면 누구나 성공할 수 있다.

[출구 팁] 목표는 인생의 나침반과 같다.

바다에서 방향키를 잃은 배처럼 목표 없이 헤매는 인생은 방황하고 무기력하게 느껴진다. 반면에 명확한 목표를 가진 인생은 나침반을 가진 배처럼 뚜렷한 방향으로 나아가며 의미와 성취감을 느낀다. 목표가 있는 일상의 삶과 목표가 없는 일상의 삶을 알아야 한다. 목표가 있는 일상의 삶을 만들자.

1. 목표가 있는 일상의 삶
. 집중력과 동기 부여 향상 : 목표를 설정하면 에너지를 집중하고, 목표를 달성하기 위해 노력하는 동기 부여를 얻을 수 있다.
. 의사 결정 및 계획 수립: 목표를 달성하기 위한 계획을 세우고, 이를 실행하기 위해 필요한 의사 결정을 내릴 수 있다.

. 성취감 및 만족감: 목표를 달성했을 때 얻는 성취감과 만족감은 자신감을 높이고 삶의 만족도를 향상시킬 수 있다.

2. 목표가 없는 일상의 삶

. 방향 감각 상실: 목표가 없으면 무엇을 해야 할지 막막하게 느껴지고, 방향 감각을 상실할 수 있다.

. 무기력 및 우울감: 목표를 향해 노력하지 않으면 무기력하고 우울한 감정을 느낄 수 있다.

. 시간 낭비: 목표가 없으면 시간을 낭비하고, 후회할 수 있다.

5. 이 순간은 다시 오지 않는다(처음처럼, 마지막처럼)

'처음'과 '마지막'이라는 단어는 우리의 마음에 깊이 와닿고, 우리의 감정을 움직인다. 처음처럼은 무엇을 처음 시작할 때 느끼는 벅찬 열정, 호기심, 순수함을 의미하고. 새로운 경험에 대한 두려움보다는 기대감이 크고, 무한한 가능성을 꿈꾸는 과정이다. 마지막처럼은 무언가를 마무리할 때 느끼는 아쉬움, 아련함, 완성감을 의미한다. 과거를 돌아보며 경험의 가치를 되새기고, 마지막 순간까지 최선을 다하며 의미 있는 마침표를 찍는 단계이다. 즉 '처음'은 새로운 시작, 열정, 그리고 꿈을 향한 의욕을 불러일으키는 반면, '마지막'은 우리가 해보고 싶었던 일들에 대한 용기와 행동력을 부여한다. 이 두 단어는 우리에게 무엇이든 할 수 있는 힘을 준다. 하루 하루 매 순간을 '처음처럼', '마지막처럼' 살아간다면, 우리는 행복한 삶을 살 수 있다.

중국 고대 사상가 노자는 도덕경에서 이렇게 말했다: "큰 나무는 가느다란 가지에서 시작하고, 10층 탑도 작은 벽돌 하나에서 시작한다. 마지막까지 처음과 같은 주의를 기울이면, 어떤 일이든 성취할 수 있다."했다.

예를들면, 애플 공동 설립자이자 혁신적인 기업인인 스티브 잡스는 암 투병을 겪으며 "매일 마지막 날처럼 살라" 는 삶의 철학을 가지고 있었다. 그는 매일 새로운 시작을 하듯 열정적으로 일했으며, 마지막 순간까지 혁신을 위해 노력했다. 그는 자신의 시간이 얼마 남지 않았음을 인지 하고, 매 순간을 최대한 활용하며 의미 있는 삶을 살았다. 저명한 시인, 작가, 활동가였던 마야 앤젤로우는 80대가 되어서도 새로운 도전을 두려워하지 않았다. 새로운 언어 를 배우고, 새로운 분야에 도전하며, 삶의 마지막 순간까 지 처음처럼 열정적으로 살았다. 마이클 조던은 마지막 NBA 경기처럼 모든 것을 다해 승리하기 위해 노력했지 만, 챔피언십 우승이라는 마지막 목표를 달성하지 못했다. 그러나 그는 실패에도 불구하고 처음처럼 마지막까지 최 선을 다했다는 사실에 만족하며 은퇴했다.

이는 우리가 '처음처럼', '마지막처럼'이라는 마음가짐으로 삶을 살아야 한다는 것을 뜻한다. 우리는 매 순간을 마치 처음이자 마지막인 것처럼 살아야 한다. 예를 들어, 처음 만났을 때의 사랑으로 배우자를 대하고, 마지막일 것처럼 그들의 눈을 바라보며 이름을 부르는 것이다. 이러한 작 은 행동들이 삶을 더욱 행복하게 만든다.

우리는 모두 처음처럼 살고자 한다. 목적을 가지고 살아 가지만, 때로는 그 목적과 방향을 잃기도 한다. 그럴 때 우리는 다시 깨어나 처음처럼 살기 위해 노력한다. 마지막처럼 살고자 하는 우리는, 지금까지 낭비한 시간, 이루지 못한 희망, 실패한 사업, 불행했던 과거를 뒤로하고, 다시 아름다운 삶을 살기 위해 다짐한다.

오늘 이 순간은 다시 오지 않는다. 하루는 어제도, 내일도 아닌 오늘이다. 오늘 하루를 '처음처럼', '마지막처럼' 즐기며 살아가는 것이 중요하다. 이것이 바로 우리가 추구해야 할 삶의 방식이다.

[출구 팁1] '처음처럼, 마지막처럼'의 장단점

	처음처럼	마지막처럼
의미	새로운 시작, 열정	완성, 결실
장점	두려움 없이 도전 흥미 유지	최선을 다해 목표 달성 완벽한 결과
단점	경험 부족, 실패 가능성	안전하고 확실한 선택 변화에 대한 두려움
태도	적극적인 시도, 열정 유지	집중력 유지, 완성에 집중
균형 유지	새로운 시도 & 목표 달성	끊임없는 성장 & 후회 없는 삶

[출구 팁2] '처음처럼, 마지막처럼' 주의해야 할 점

(처음처럼)

- 무분별한 도전: 충분한 준비 없이 무턱대고 시작하면 실패 가능성이 높다
- 열정만으로는 부족: 흥미와 열정은 중요하지만, 현실적인 계획과 전략도 필요하다
- 지속 불가능: 처음의 열정만으로는 장기간 꾸준히 노력하기 어렵다

(마지막처럼)

- 과도한 부담감: 완벽주의에 사로잡히면 스트레스와 불안감을 유발한다
- 융통성 부족: 상황 변화에 따라 계획을 수정하는 융통성도 필요하다.
- 과거에 집착: 과거의 성공이나 실패에 너무 집착하면 현재에 집중하기 어렵다

(균형 유지)

- 현실적인 목표 설정: 처음처럼 새로운 시도를 하면서도 현실적인 목표를 설정하여야 달성 가능성을 높일 수 있다.

- 지속 가능한 노력: 처음의 열정을 유지하면서도 장기간 꾸준히 노력할 수 있는 방법을 찾아야 한다.
- 융통적인 사고방식: 마지막처럼 완성에 집중하면서도 상황 변화에 따라 계획을 수정하는 융통성을 유지해야 한다.

6. AI(인공지능) 리터러시다(자기주도학습로 적용하기)

오늘날 사회는 급격한 기술 발전으로 인해 변화 속도가 더욱 빨라지고 있다. 이러한 변화에 적응하기 위해서는 평생 학습 능력이 필수다. 특히, 인공지능(AI) 시대에 접어들면서 AI 기술을 활용한 자기주도학습이 더욱 중요해지고 있다.

모든 사람이 AI 기술을 쉽게 접근하고 활용할 수 있는 것은 아니다. 문맹, 컴퓨터 리터러시, AI 리터러시 등 다양한 어려움을 가진 사람들에게는 교육과 학습이 더욱 어려울 수 있다.

문맹은 글을 읽고 쓰는 능력이 부족한 사람이다. 이들은 기본적인 정보 습득에도 어려움을 겪기 때문에 자기주도학습에 참여하는 데 제약이 따른다. 컴퓨터 리터러시는 컴퓨터와 인터넷을 활용하는 능력이 부족한 사람들이다. 이들은 온라인 학습 플랫폼이나 AI 기반 학습 도구를 사용하는 데 어려움을 겪고 있다.

AI 리터러시는 AI 기술에 대한 이해가 부족하고 활용 능력이 낮은 사람들이다. 이들은 AI 기술을 활용하여 자신의 학습을 효과적으로 관리하는 데 어려움을 겪을 수 있다. 문맹, 컴퓨터 리터러시, AI리터러시 등 다양한 어려움을 가진 사람들에게 열려 있는 자기주도학습 환경을 조성하는 것이 매우 중요하다.

AI 기반 자기주도학습 플랫폼은 이런 문제를 해결하는 데 중요한 역할을 한다. 지금도 계속 개발되고 있고 활용되고 있다. AI 자기주도학습 플랫폼은 개인의 학습 수준과 특성을 분석하여 맞춤형 학습 콘텐츠를 제공하고, 학습 과정을 지원하며, 학습 결과를 피드백할 수 있다.

AI 기반 자기주도학습 플랫폼이 문맹, 컴맹, AI맹에게 제공할 수 있는 혜택입니다.

문맹은 음성 인식 및 합성 기술을 통해 글을 읽고 쓰는 능력을 향상시키는 데 도움을 줄 수 있고 그림이나 이미지를 활용한 학습 콘텐츠를 제공하여 정보 습득을 돕는다.

컴퓨터 리터러시는 컴퓨터와 인터넷 사용 교육을 제공하여 기본적인 디지털 활용 능력을 향상시키고 간편하고 직관적인 인터페이스를 제공하여 온라인 학습 플랫폼을 쉽게 사용할 수 있도록 되어가고 있다. AI(인공지능) 리터러시는 AI 기술에 대한 기본적인 이해를 제공하여 AI 기술에 대한 두려움을 없애주고 있고 AI 기반 학습 도구(예를 들면,챗지피티, Gemini, Copilot 등)를 사용하는 방법을 교육하여 효과적인 자기주도학습을 지원하고 있다. AI 기반 자기주도학습 플랫폼의 발전과 함께, 사회 구성원 모두에게 평생 학습 기회를 제공하고, 모두가 함께 성장하는 사회를 만들어나가야 한다.

AI(인공지능)을 활용하면 누구나 자기주도학습을 통해 자신의 꿈과 목표를 이룰 수 있다. 유튜브, 쇼츠, SNS 등을 이용한 자기주도학습을 통한 글쓰기, 돈벌기, 취미배우기, 외국어 공부하기 등 다양하게 활용할 수 있다.

[출구 팁] AI(인공지능) 시대 자기주도 학습을 위한 효과적인 도구들

1) Gemini

• 개인 맞춤형 학습: Gemini는 개인의 학습 목표, 수준, 학습 스타일에 맞춰 학습 콘텐츠를 추천해준다.

• 실시간 피드백: Gemini는 학습 과정에서 실시간으로 피드백을 제공하여 학습 효과를 높여준다

• 다양한 학습 콘텐츠: Gemini는 다양한 형식의 학습 콘텐츠(텍스트, 영상, 퀴즈 등)를 제공해준다

2) ChatGPT

• 학습 자료 검색: ChatGPT는 학습하고 싶은 주제에 대한 정보와 자료를 찾는 데 도움을 준다.

- 토론 및 질의응답: ChatGPT는 학습 내용에 대한 토론과 질의응답을 통해 학습 효과를 높여준다
- 창의적인 학습 활동: ChatGPT는 스토리 작성, 시나리오 제작 등 창의적인 학습 활동을 지원한다

3) wrtn

- 한국어 특화 LLM, 개인 맞춤형 학습, 실시간 피드백, 다양한 학습 콘텐츠, 튜터 연결, 학습 그룹 참여 등의 기능이 있다

7. 암묵지는 보이지 않는다(손맛의 비밀)

형식지(explicit knowledge)와 암묵지(tacit knowledge)가 뭔지 알고 있나요?. 형식지는 인간의 언어나 문자를 통해 문서화가 가능한 지식이고, 암묵지는 인간의 몸과 두뇌에 체화되고 있는 지식이다. 형식지와 암묵지를 쉽게 이해하기 위하여 아이스버그(Iceberg, 빙산)에 비유해 보자. 남극이나 북극에 가면 아이스버그가 있다. 아이스버그는 바다 수면 위에 있다. 바다 수면 위에 있는 빙산은 형식지이다, 바다 수면 밑에 숨겨진 빙산은 암묵지이다.

형식지와 암묵지가 무엇인지 예를들면, 골프가 무엇이고 어떻게 해야 하는지를 책으로 사서 보거나 골프 경기를 하는 채널을 시청하면서 형식지를 통해 배울 수 있지만 실제 골프를 잘 치려면 직접 많은 연습과 경험을 함으로써 암묵지를 몸과 두뇌에 익혀야만 가능하다. 형식지는 우리 모두의 자산이며 다른 사람에게 쉽게 전이할 수 있는 지식이다. 하지만 암묵지는 개인의 자산이며 다른 사람에게 전이, 계승하는데 오랜 시간과 노력이 필요하다.

바다의 수면에 숨겨진 빙산(암묵지)은 개인의 잠재역량이다. 숨겨진 개인의 잠재역량을 찾아 수면 위의 형식지로 변화하도록 돕는 역할을 하는 것이 나 자신이다. 눈에 보이는 빙산(형식지)에 만족해서는 안 된다는 의미다. 가장 중요하게 생각해야 할 것은 학위증, 강사 자격증, 전문컨설턴트, 책, 언어 등 형식지로 생색내는 사람보다는 내면에 있는 잠재능력과 역량을 발휘할 수 있는 암묵지를 소유한 개개인을 더 중요시해야 하다. 누구든지 상대방을 무시하면 안된다는 의미이다. 상대방을 존중해줘야 한다. 다른 사람의 의견과 내 의견이 맞지 않는다고 상대방을 무조건 틀린 사고를 가지고 있다고 판단하기 보다는 나와는 다름을 인정하는 마음과 자세에 말로 암묵지를 살릴 수 있는 길이다. 좀 더 쉽게 말하면 반찬은 엄마의 손맛이라고 한다. 다 같은 재료로 반찬을 만들어도 손맛에 따라 맛이 다르다. 그 손맛이 비밀은 바로 암묵지이다. 암묵지 비밀은 평생 배움과 경험에서 나오기 때문이다. 즉 "손맛이 비밀은 암묵지에 있다"는 말은 숙련된 기술이나 노하우는 단순히 말로 설명하기보다는 직접 경험하고 몸으로 익혀야 진정으로 이해할 수 있다는 뜻이다. 암묵지에 있다는 것은 쉽게 표현하거나 전달하기 어렵고, 오랜 시간 훈련과 경험을 통해 몸으로 기억해야 한다는 의미를 내포하고 있다.

손맛의 비밀이란 것이 무엇인지 예를들어 보자

1. 손맛의 요리

- 고든 램지 (Gordon Ramsay)는 영국의 유명한 세프로 오랜 경험을 통해 재료의 특성을 파악하고, 조리 과정에서 미묘한 변화에 맞춰 적절하게 조절하는 능력이 가지고 있었다. 그의 노하우는 단순히 레시피에 적혀 있는 내용으로는 전달하기 어렵고, 직접 요리하며 경험을 쌓은 손맛의 결과이었다.

2. 손맛의 스포츠

- 마이클 조던 (Michael Jordan)은 미국의 전직 농구 선수로, 반복적인 연습을 통해 자신의 몸을 능숙하게 다루고, 경기 상황에 따라 순간적으로 최적의 판단을 내리는 능력을 갖추고 있었다. 그의 능력은 단순히 기술적인 설명으로는 부족하며, 꾸준한 훈련과 경험을 통해 몸으로 익힌 손맛의 결과이었다

3 손맛의 예술:

- 피카소 (Pablo Picasso)는 스페인의 유명 화가로, 오랜 시간 자신만의 독창적인 표현 방식을 개발하고, 작품

에 담아내는 능력을 갖추고 있었다. 그의 능력은 단순히 기술적인 지식으로는 설명하기 어렵고, 예술 분야에 대한 깊은 이해와 끊임없는 노력을 통해 쌓은 손맛의 결과이었다.

- 나에게서 발견하지 못한 암묵지(잠재역량)의 비밀을 찾아 익히는 노력을 하면 본인의 성장과 발전에 큰 성과를 이룰수 있습니다. 나의 암묵지(잠재역량)이 무엇이며 어디에 있는지 찾아서 떠나봅시다.

[출구 팁] 암묵지(잠재역량)의 비밀을 찾아 나의 것으로 만드는 방법

단계	암묵지(잠재역량)의 비밀을 찾는 방법
나를 탐험하다	1. 과거 경험, 성과, 실패 등을 꼼꼼하게 돌아보며 숨겨진 재능과 흥미를 적극적으로 찾는다. 2. 강점, 약점, 가치관, 성격 등을 심층적으로 분석하여 자신만의 독특한 특징을 파악한다. 3. 주변 사람들의 솔직한 평가를 구하고 적극적으로 활용하며 객관적인 시각을 얻는다.
새로운 도전을,	1. 다양하고 흥미로운 분야의 활동, 새로운 취미 봉사활동 등에 적극적으로 참여하여 잠재된

시작하다	가능성을 발견하고 탐구한다. 2. 관심 분야에 대한 전문적인 지식을 쌓고 새로운 기술을 습득하며 암묵지를 꾸준히 확장한다. 3. 실패를 두려워하지 않고 끊임없이 도전하는 자세를 유지하며 암묵지를 실전 경험을 통해 다듬는다.
암묵지 (잠재역량)를 깨우는 열쇠를 찾다	1. 해당 분야의 전문가, 경험, 멘토 등의 조언과 지침을 적극적으로 구하고 활용한다. 2. "나는 할 수 있다"는 강력한 자신감을 가지고 긍정적인 태도를 유지하며 암묵지를 자신감과 긍정적인 에너지로 채운다. 3. 목표를 설정하고 계획적인 연습과 노력을 통해 암묵지를 숙련되게 익힌다.
암묵지 (잠재역량)를 활용하여 세상을 빛내다	1. 암묵지를 활용하여 구체적이고 의미 있는 목표를 설정하고 계획을 세운다. 2. 자신의 잠재력을 적극적으로 발휘하여 사회에 기여하고 가치를 창출한다. 3. 끊임없이 배우고 성장하며 암묵지를 더욱 풍부하고 유용하게 발전시킨다.

8. 아직도 한 우물만 판다(AI시대 브리꼴레르형 인재)

한때 '한 우물만 깊게 파면 성공한다'는 말이 유행했다. 그러나 현실은 그렇게 넉넉히 수용해 주지 않는다. 한 우물만 깊이 파면 터널생각에 빠져 우물에서 나올 수 없다. 한 우물 속에 갇혀 변화에 대처하기 어렵다. 과연 나는 깊게 한 우물만 파고 있는가? 넓게 파고 있는가? 난 뭘 파고 있는가? 잠시 쉬면서 생각해보자. 내가 파는 우물은 나와 조직에 큰 도움이 되나요. 안 되나요. 안 된다면 왜 안 되고 어떻게 하면 될 수 있나요.

예를 들면, 1971년 9월 서거한 정주영 현대 회장은 자금이 필요해 영국 버클레이 은행의 롱바톰 회장을 만나 차관을 요청했다. 조선소 설립 경험도 없고 선주도 나타나지 않은 상황에서 영국은행의 답은 당연히 'NO'라고 했다. 정주영 회장은 그때 바지 주머니에서 5백 원짜리 지폐를 꺼내 뒷면에 그려진 거북선을 보여주며 우리는 영국보다 300년 앞선 1천 5백 년대에 이미 철갑선을 만들었다고 했다. 그리고 400여 년 전 일본이 수백 척의 배를 몰고 쳐들어온 것을 이 철갑 거북선으로 다 막아냈다고 했다. 다만 쇄국정책으로 산업화가 늦었을 뿐 그 잠재력은 그대로 갖고 있다고 재치 있는 임기응변으로 차관 합의를 받아냈다고 실화가 있다.

그는 또한 시화방조제를 막는 공사에서 1984년 2월 24일 조류의 흐름을 막기 위해 누구도 생각하지 못한 시화방조제 공정에 23만 톤급 폐유 대형유조선을 가져와 물을 막을 수 있는 공법을 사용했다. 이 공법은 시화방조제 공정이 45개월에서 36개월로 단축된 혁신적 사례로 유명하다. 한 우물을 깊이 파기보다는 어느 정도 적당히 우물을 판 다음, 다른 각도에서 우물을 넓히고 다른 것과 융합해야 한다. 대표적인 인물로 새로운 것에 도전하고 융합하는 서거한 정주영 현대회장, 용접공 출신으로 다수의 책을 출간한 A 교수, 생활의 달인과 정글의 법칙에 출연하는 B 개그맨, 어떤 문제도 다 해결해주는 만능인 맥가이버 등 이들의 공통점은 창의적 브리꼴레르형이다.

개인이나 조직에서 가장 중요한 것은 한 우물에 머물지 않고 새로운 것에 도전하고 다른 것과 융합하는 창의적인 브리꼴레르(융합)형 인재가 필요하다.

과거에는 전문성을 강조했다. 한 분야에 집중하여 깊이 있는 지식과 기술을 쌓는 것이 중요했기 때문이다. 또한 특정 분야의 전문가는 높은 수준의 경제적 안정과 사회적 인정을 얻을 수 있었기 때문이다.

하지만 현재는 복잡성 증가하는 시대다. 사회 문제와 과학 기술은 점점 더 복잡하고 다면적이 되어 한 분야의 지식만으로는 해결하기 어렵고 빠르게 변화하는 환경에 적응하고 새로운 문제를 해결하기 위해 다양한 분야의 지식을 융합하는 능력이 중요시되고 있다.

한 우물을 판 대표적인 인물로 레오나르도 다빈치는 예술, 과학, 공학 등 다양한 분야에 걸쳐 뛰어난 업적을 남긴 천재였고 한국의 피겨 스케이팅 김연아는 뛰어난 기술과 예술성으로 세계적인 인정을 받았다. 브리꼴레드(융합)형 대표적 인물로 애플의 스티브 잡스는 기술, 디자인, 사업 등 다양한 분야를 융합하여 혁신을 이끈 기업가였고 테슬라의 일론 머스크는 다양한 분야의 사업 성공적으로 운영하고 있다

지금은 AI시대이다. AI 시대에는 전문성과 브리꼴레트(융합) 능력 모두 중요하다. AI는 특정 분야에서 인간보다 뛰어난 성능을 발휘할 수 있지만, 인간의 창의성과 문제해결 능력은 여전히 대체 불가능하다. 브리꼴레르형 인재는 AI와 협력하여 인간의 강점을 최대한 활용하고 AI의 한계를 극복할 수 있다.

[출구 팁] 본인의 성향과 목표 고려

전문성을 추구하는 성향이 강하다면 한 우물 파기에 집중하는 것이 좋다. 융합을 통해 새로운 것을 창출하는 것을 좋아한다면 브리꼴레르형 인재를 목표로 삼는 것이 좋다.

	한 우물 파기	브리꼴레르형 인재
장점	- 전문성 확보 - 경쟁력 강화 - 전문가로서 인정	- 적응력 강화 - 문제 해결 능력 향상 - 협업 능력 향상
단점	- 변화에 대한 취약성 - 협업 능력 부족 - 폭넓은 지식 부족	- 전문성 부족 - 일관성 부족 - 정체성 확립 어려움
적합한 사람	- 특정 분야에 대한 깊이 있는 전문성을 쌓고 싶은 사람 - 안정적인 직업을 원하는 사람 - 전문가로서 인정받고 싶은 사람	- 변화에 유연하게 적응하고 싶은 사람 - 창의적 사고와 문제 해결 능력을 키우고 싶은 사람 - 다양한 분야에 관심이 있는 사람
AI 시대 적합성	- 낮음(변화에 취약하고 협업 능력 부족)	- 높음(적응력 강하고 문제 해결 능력 향상)

대 표 인물	- 아인슈타인 (물리학) - 마릴린 보스 사바그 　(법학)	- 스티브 잡스 　(기술, 디자인) - 레오나르도 다빈치 　(예술, 과학, 기술)

AI 시대에는 단순 반복적인 업무는 AI가 대체하고, 창의적 사고와 문제 해결 능력을 갖춘 인재가 더욱 중요해지고 있다. 따라서 특정 분야에 대한 전문성과 다양한 분야의 지식을 융합할 수 있는 브리꼴레르형 인재가 더욱 강력한 경쟁력을 가질 것이다.

9. 우리 삶의 본질을 파헤치다

(삶과 역사 자체가 땅따먹기다)

옛날 우리 조상들은 농사를 통해 생계를 유지했다. 그들에게 땅은 삶의 필수 요소였고, 땅을 갖는 것은 곧 생존을 의미했다. 당시에는 개간한 땅이 없었다. 땅이 없기 때문에 땅을 가지고 싶은 마음을 본질적으로 가지고 있었다. 그래서 이를 해소하는 방법으로 '땅따먹기'(땅따먹기는 돌을 던져 상대 영역을 점령하며 마지막까지 영역을 확장하는 한국의 전통 게임이다.)라는 놀이로 마음을 달랬다. 이 놀이는 간단하다. 지역에 따라 놀이의 이름이 다르지만 땅따먹기의 목적은 같다. 큰 사각형 또는 큰 원을 그리고 그 테두리내의 한구석에서 각자 자기 집을 뼘이나 발뒤꿈치로 그려나갔다. 가위바위로 순서를 정하고 자기 집에서 세 번만에 튀겨서 목자가 다시 집에 돌아오면 내 땅이 그려진다. 이것이 세 번 '튀겨먹기'라고 한다. 큰 사각형 또는 큰 원을 그리고 각자 한구석을 정하고 가위바위보를 통해 이긴 사람이 한뼘씩 땅을 재어 먹는다. 이것이 '뼘재먹기(뼘재먹기는 손을 완전히 펼쳤을 때 엄지손가락 끝에서 새끼손가락 끝까지의 거리로 뼘으로 재면서 땅을 차지하는 게임이다)'라고 한다. 큰 사각형 또는 큰 원을 그린 다음, 가위바위보로 순서를 정하고 자기 집에서 상대방의 집에 들어가 땅을 넓힌다. 이때 상대방의 집에 들어가지 못하면 집을 넓힐 수 없다. 더 이상 차지할 땅이 없으면 경계선을 긋고 상대방 집을 빼앗는 게임이다. 이것이 '집들어가기'라고 한다.

땅따먹기는 우리 삶의 본질적인 욕망, 즉 '더 많은 것을 갖고 싶다', '나만의 영역을 확보하고 싶다'는 욕망을 반영하고 있다. '땅따먹기'는 우리 삶 곳곳에 스며들어 있다.

'땅따먹기'는 땅을 갖고 싶은 마음에 어린이들의 놀이로 활용되었지만, '땅따먹기'는 우리의 삶 그 자체이다. 땅따먹기가 우리의 삶이라는 사실을 역사는 말한다. 고구려, 백제, 신라 삼국시대, 제1차 세계대전, 제2차 세계대전, 6.25전쟁, 이라크 전쟁, 러시아와 우크라이나 전쟁, 이스라엘과 팔레스타인 전쟁, 3D땅따먹기 게임, 부동산매매, 부모와 자녀의 마음 등 온오프라인에서 국가 간, 지역 간, 개인 간, 심지어 우리 마음속까지 끊임없이 벌어지는 본질적 현상이다. 국가는 영토, 영해, 영공을 확보하기 위해 경쟁하고, 지역은 자원과 영향력을 행사하기 위해 경쟁하며, 개인은 성공과 행복을 위해 경쟁한다. 우리 마음속에서도 감정과 이성, 욕망과 가치관 사이에서 끊임없는 싸움이 벌어진다. '땅따먹기'는 우리 삶의 다양한 측면에서

나타나는 경쟁과 갈등의 본질을 보여주는 메타포이다. 이
는 국가 간, 지역 간, 개인 간의 갈등과 경쟁이야 말로
'땅따먹기' 게임과 별반 다르게 없다. '땅따먹기'는 역사의
흐름 속에서도 변함없이 존재하는 인간의 본성을 보여주
는 증거이다. 그 거시적인 관점에서 증거를 살펴보자.

'땅따먹기'는 인간 역사 속에서 끊임없이 반복되어 동물적
이고 본증적인 행위이다. 강력한 자가 약한 자를 억압하
고 착취하는 '땅따먹기'는 전쟁, 문화, 산업, 일상생활 등
모든 분야에서 발견되고 있다.

전쟁은 생존을 위한 '땅따먹기'다. 초기 문명의 영토 확장
이다. 강력한 문명은 약한 문명을 공격하고 그 영토를 빼
앗았다. 고대 메소포타미아, 이집트, 중국 등에서 일어난
전쟁은 대부분 '땅따먹기'의 전쟁이었다. 제국주의 시대의
식민지 지배다. 유럽 강대국들은 아프리카, 아시아, 아메
리카 대륙을 식민지화하여 자원을 착취하고 시장을 확대
했다. 2차 세계대전 이후에도 식민지 지배는 '땅따먹기'의
대표적인 사례다.

문화는 다양성을 흡수하는 '땅따먹기'다. 문화적 침략이다.
강력한 문화는 약한 문화를 억압하고 자신의 문화를 강요

했다. 유럽과 일본의 식민지 지배는 현지 문화를 파괴했다. 그다음은 문화적 차별이다. 다수 문화는 소수 문화를 차별하고 소외시켰다. 인종차별, 성차별, 장애차별 등이 문화적 '땅따먹기'이다.

산업혁명은 노동자 착취의 '땅따먹기'다. 산업혁명 초기의 노동 착취이다. 자본가들은 노동자들에게 극심한 노동을 강요하고 낮은 임금을 지불했다. 아동 노동, 여성 노동 착취는 당시 산업 사회의 어두운 현실이 되었다. 현대 사회의 불평등 심화는 1%의 부유층이 99%의 대중을 착취하는 현대 사회의 불평등 구조는 '땅따먹기'의 구조와 유사하다

일상생활 '땅따먹기'는 교육 기회의 불평등이다. 교육 기회의 불평등은 빈부격차를 심화시키고 계층 이동성을 제한한다. 직장에서의 성차별이다. 아직도 여성은 남성에 비해 낮은 임금과 차별적인 대우를 받는 경우가 많다. 장애인에 대한 차별이다. 장애인은 사회 참여 기회가 제한되고 사회적 편견에 놓여있다.

인간 마음 본질의 '땅따먹기'는 이기심에 있다. 자신의 이익을 위해 타인을 희생시키는 이기적인 생각은 땅따먹기

의 본질적 원인이다. 탐욕에도 있다. 끝없는 욕망은 타인의 것을 빼앗고 착취하려는 행위로 이어진다. 무관심이다. 타인의 고통에 무관심하고 방관하는 태도는 땅따먹기를 방치하는 결과를 초래한다.

'땅따먹기' 없는 세상을 위해 우리 모두는 노력해야 한다. '땅따먹기'는 인간 사회의 어두운 그림자이지만, 우리는 '땅따먹기' 없는 세상을 만들 수 있다. 서로를 존중하고 배려하는 마음, 공정하고 정의로운 사회 시스템을 만들기 위한 노력이 필요하다. 함께 만들어가는 땅따먹기 없는 세상을 위해서는 공감과 연대가 필요하다. 타인의 고통에 공감하고 연대하는 마음을 가지고 노력해야 한다. 사회적 약자의 권익을 보호해야 하고 모두가 함께 살아갈 수 있는 지속 가능한 발전 모델을 만들어 나가야 한다.

다음은 미시적인 관점에서 부모와 자녀간 마음과 생각을 지배하는 영역(땅따먹기) 사례를 살펴보자. 태아는 임신기간에 엄마의 배에서 엄마의 보호 아래 엄마의 지배를 받아 왔다. 엄마의 배에서 지배를 받던 태아는 엄마의 배에서 나와 신체적인 분리를 한다. 엄마의 신체적인 지배에서 독립을 한다. 태아는 엄마의 신체적 영역에서 출생해 독립된 신체적 영역의 소유가 된다. 성인이 될 때까지는 완전한 독립이라고 할 수 없다. 유아에서 초등학교, 중학교, 고등학교를 거치면서 불안전한 독립에서 안전한 독립 영역으로 만들어진다.

이때부터 자녀는 완전한 신체적, 정신적 지배영역을 확보한다. 고등학교 때까지는 신체적 지배영역을 확보하지만 부모로부터 독립하지 못한 영역에 있다. 부모에 의해 또는 교사에 의해 지배받는 영역이다. 바로 마음, 정신, 언어 영역이다. 부모는 자녀가 신체적으로 커가고 있다는 것을 알고 있다. 자녀는 자기만의 생각과 행동의 영역이 있다. 부모는 이를 인지하지 않고 막무가내로 자녀를 지배하려고 한다.

언어적 영역, 정신적 영역에서의 지배는 초등학교 때까지는 어느 정도 수용이 가능하다. 중학교 때부터는 신체적으로 부모와 비슷한 크기로 자라고 나만의 영역을 가지고 싶어 한다. 마음이 영역도 마찬가지다. 자녀는 성장하면서 부모의 지배를 받던 마음의 영역에서 벗어나려고 한다. 부모와 교사는 열심히 공부하라고 한다. 열심히 공부하면 성공적인 삶을 살 수 있다고 말한다. 부모는 '오늘 숙제는 했느냐, 시험은 잘 봤느냐, 여자 친구는 있느냐, 게임을 하지 말아라, 컴퓨터 꺼라, 학생은 스마트폰이 필요 없다' 등 공부만 하라고 강요한다. 또 교사도 학생들에게 담배를 피우지 말고 술 먹지 말라며 공부만 하라고 말한다. 이런 것들이 부모의 지배영역과 자녀의 지배영역이 중첩되어 싸우게 되는 원인이다. 부모의 영역을 지배할 수 없기 때문에 자녀는 이런 부모의 지배에서 벗어나 스스로 내 영역을 만들고 싶어 한다. 이러다 보니 부모와 자녀 간에는 늘 불통이 된다.

부모는 자녀가 내 마음을 이해하지 못한다고 마음 아파한다. 부모 마음의 영역에 자녀를 가두어 두면 안 된다. 부모 마음의 영역을 열어주고 자녀의 마음을 독립된 하나의 인격체로 존중하고 받아주어야 한다. 자녀는 공부를 안 한 것도 못하는 것도 아니다. 자녀는 내가 하고 싶을 때 공부하고, 내가 놀고 싶을 때 놀고, 내가 웃고 싶을 때 웃고, 내가 울고 싶을 때 우는 그런 마음과 생각으로 나를 지배하고 싶어 한다. 나를 지배한 만큼 자녀는 스스로 책임지고 행동한다. 그것이 삶의 경험이고 내 영역이다.

부모와 교사는 내 뜻대로 자녀를 이끌려고 지배하려고 하지 말아야 한다. 자녀는 부모가 공부에 간섭이나 개입하는 것을 원하지 않는다. 부모는 자녀 뜻대로 하고 싶은 것 하도록 방향만 알려주고 뒤에서 자기만이 땅(영역)을 소유할 수 있도록 도와주면 된다. 부모가 앞에 서지 말고 자녀가 앞에서 경험하도록 해야 한다. 그래야 자녀는 부모의 영역인 둥지를 떠나 독립된 나만의 새로운 영역을 만들 수 있다.

'땅따먹기'의 주인 노릇을 누가 하냐에 따라 마음의 영역에 변화가 일어난다. '땅따먹기'의 주인이 부모인 경우, 부모 마음의 영역을 자녀에게 양보하거나 자녀에게 새로운 영역을 만들 수 있도록 해야 한다. 반면 '땅따먹기'의 주인이 자녀인 경우, 자녀 마음의 영역과 부모의 영역과 겹치는 부분은 대화로 풀 수 있도록 노력해야 하고, 자녀와 부모가 서로 인정하고 새로운 나만의 영역을 만들어야 한다. 부모는 자녀를 지배하고자 하는 '땅따먹기' 영역 싸움을 해서는 안 된다. 중요한 것은 부모와 자녀가 마음과 생각의 영역이 서로 다름을 인정하고, 부모는 자녀가 하고 싶은 것을 하도록 뒤에서 지지하고 지원하면 된다.

[출구 팁] 지배영역별 '땅따먹기'의 문제점과 해결방안

영역	문제점	해결방안 (공감대 형성)
가정	1.세대 간 의사소통 부족: 서로 다른 가치관과 경험으로 인한 의사소통	1.가족 회의 개최: 정기적인 가족 회의를 통해 서로의 의견을 공유하고

	어려움
	2.권위적인 분위기:
	  부모 또는 배우자의
	  권위적인 태도로 인한
	  갈등
	3.감정 표현 부족:
	  서로의 감정을 표현하고
	  이해하는 데 어려움
		소통
		2. 역할 분담 및 협력:
		  가사 및 자녀 돌봄
		  역할 분담 및 협력
		3. 감정 표현 훈련:
		  서로의 감정을 자유롭게
		  표현하고 경청하는 훈련

전쟁	1.증오와 적대감:
	  서로에 대한 증오와
	  적대감으로 인한 갈등
	  심화
	2. 비인간화: 상대방을
	  인간으로 보지 못하
	  는 사고방식
	3. 대화 부족: 서로의
	  입장을 이해하고
	  공감하는 대화 부족
		1. 평화 교육: 평화의
		  중요성과 공감의 가치를
		  교육하는 프로그램 운영
		2. 문화 교류: 서로 다른
		  문화를 이해하고 존중
		  하는 문화교류 프로
		  그램 운영
		3. 대화와 협상: 평화적인
		  해결을 위한 대화와
		  협상을 통한 갈등해결

환경	1.환경 오염: 무분별한
	  개발 및 소비로 인한
	  환경 오염 심화
	2. 자원 고갈: 무분별한
	  자원 사용으로 인한
	  자원 고갈
		1. 환경 보호 교육:
		  환경 보호의 중요성을
		  교육하는 프로그램 운영
		2 친환경 소비: 지속
		  가능한 소비 문화를
		  확산

	3. 자연과의 단절: 자연과의 단절로 인한 인간 소외	3. 자연 체험: 자연과 교감하고 소통하는 체험 프로그램 운영
마음	1. 정신건강 문제증가: 스트레스,불안,우울증 등 정신건강문제 증가 2. 사회적 고립: 사회적 연결 부족으로 인한 고립감 증가 3. 자기혐오: 부정적인 자아상으로 인한 자기혐오	1. 정신건강 증진 프로그램: 정신 건강 증진 및 스트레스관리 프로그램 운영 2. 사회적 연결 강화: 사회적 연결을 강화하는 프로그램 운영 3.자존감 향상프로그램: 자존감 향상 및 긍정적인 자아상 형성프로그램 운영
경제	1. 빈곤과 불평등: 빈곤과 불평등 심화 2. 경제적 불안: 경제적 불안으로 인한 불안감 증가 3. 경제적 착취: 경제적 약자에 대한 착취	1. 빈곤퇴치 정책: 빈곤퇴치 및 사회 안전망 강화 정책 추진 2. 경제적 불평등 해소 정책: 경제적 불평등 해소 정책 추진 3. 공정한 경제 시스템 구축: 공정하고 지속 가능한 경제시스템 구축

문화	1. 문화적 다양성 감소: 단일 문화의 지배로 인한 문화적 다양성 감소 2. 문화적 갈등: 서로 다른 문화간 갈등심화 3. 문화적 교류 부족: 서로 다른 문화 간 교류 및 이해 부족	1. 다문화 교육: 다양한 문화에 대한 이해를 높이는 교육 프로그램 참여 2. 문화 교류 프로그램: 서로 다른문화를 가진 사람들 간 교류프로그램 운영 3. 문화적 다양성 존중 교육: 문화적 다양성을 존중하는 교육프로그램 참여
정치	1. 정치적 갈등 심화: 서로 다른 정치적 입장 간 갈등 심화 2. 정치적 무관심: 시민들의 정치 참여 및 관심 부족 3. 정치적 합의 부족: 중요한 정책 결정 과정에서 합의 도출 어려움	1. 정치 참여 활성화: 선거 참여, 시민 사회 활동 참여 등을 통한 정치 참여 활성화 2. 정치적 대화프로그램: 서로 다른 정치적 입장을 가진 사람들 간 대화프로그램 운영 3. 정치교육: 정치 참여 및 시민 의식 함양을 위한 교육프로그램 참여
스포	1. 승패에 대한 지나친	1. 스포츠정신 함양교육:

츠	집착: 승패에 대한 지나친 집착으로 인한 스포츠 정신 저하 2. 비윤리적인 행위: 승리에 대한 집착으로 인한 도핑, 승부 조작 등 비윤리적인 행위 3. 스포츠 정신 부족: 스포츠의 본질적인 가치를 존중하지 않는 태도	스포츠의 본질적인 가치를 배우고 실천하는 교육프로그램 참여 2. 스포츠 윤리 교육: 스포츠 윤리 및 공정 경쟁에 대한 교육프로그램 참여 3. 스포츠 봉사활동: 지역 사회 스포츠 발전을 위한 봉사활동 참여

10. 문제는 대화법이다('왜' 보다 '어떻게'가 중요하다)

"왜"라는 질문은 상대방과의 공감대를 형성하기보다는 대화의 각도를 달리하는 불일치로 결국 서로 감정을 상하게 한다. "왜"라는 질문은 상대방과의 대화의 질이 부정적으로 갈 가능성이 높다. 이는 상대방의 답변에 문제가 있기보다는 질문을 한 나의 "왜"라는 대화법에 문제가 있다.

반면 "어떻게"라는 질문은 비전과 방향을 잡아준다. "어떻게"라는 질문은 서로의 공감대를 찾고 상호 신뢰를 바탕으로 비전과 방향을 잡아주는 가이드 역할을 한다. 예를 들면, '이 문제를 어떻게 풀었으면 좋겠니?', '내가 어떻게 도와줄까?', '우리는 이 상황에서 어떻게 대처하는 것이 좋을까?'라는 질문을 하면 상대방은 적극적인 자세로 변환해 긍정적인 답변을 찾는 반응을 보이게 된다.

"왜"라는 부정적 시각의 질문보다는 "어떻게"라는 긍정적 시각의 질문으로 대화를 리드해 나가야 한다. "왜"라는 질문은 상대방이 마음의 문을 열지 않고 마음의 문을 닫는다. 반면 "어떻게"라는 질문은 상대방이 마음의 문을 열고 이야기를 받아준다.

"왜?" 중심 대화는 친구의 잘못을 지적하고 책임을 묻는데 초점을 맞추어 갈등을 심화시킬 수 있다. 반면에 "어떻게?" 중심 대화는 상황 해결을 위한 구체적인 방법을 모색하며, 서로를 이해하고 긍정적인 관계를 유지하는 데 도움을 준다. "왜"와 "어떻게"에 대하여 일상의 대화를 비교해 보자

상황1: 아침 식탁에서 아이가 우유를 마시지 않는다.

("왜" 중심 대화)

- 부모: 왜 우유 안 마셔? 맛없어?
- 아이: 싫어.
- 부모: 왜 싫어? 우유는 건강한데.
- 아이: (말 없이 고개를 저는다.)

("어떻게" 중심 대화)

- 부모: 오늘 아침 우유 대신 무엇을 먹고 싶니?
- 아이: 시리얼 먹고 싶어.
- 부모: 시리얼에 우유를 섞어 먹으면 더 맛있을 것 같아. 혹시 시도해 볼래?
- 아이: (고개를 끄덕이며 시리얼에 우유를 섞어 먹는다.)

상황2: 친구가 늦게 약속 장소에 도착한다.

("왜" 중심 대화)

- 나: 왜 늦었어?
- 친구: 미안, 길이 막혀서.
- 나: 왜 그 길로 왔어? 다른 길로 오면 더 빨랐을텐데.
- 친구: (짜증 내며) 알았다. 다음에는 그렇게 할게.

("어떻게" 중심 대화)

- 나: 괜찮아, 오랜만에 봐서 기뻐. 다음에는 어떻게 하면 더 빨리 올 수 있을까?
- 친구: 다음에는 지하철 타고 오면 더 빨릴 것 같아.
- 나: 그래, 좋은 생각이네. 같이 지하철역까지 가자.

"왜"와 "어떻게" 질문 모두 상황에 따라 적절하게 활용해야 효과적인 대화를 이끌어낼 수 있다. 상황에 따라 "왜" 질문을 통해 문제의 원인을 파악하는 것이 중요한 경우도 있지만, "어떻게" 질문을 통해 문제 해결이나 긍정적인 변화를 위한 구체적인 방법을 모색하는 것이 더 효과적이다.

[출구 팁] "어떻게" 질문 활용하는 법

- 개방적인 질문 :"어떻게 해야 할까?", "어떻게 하면 더 좋을까?"와 같이 개방적인 질문을 통해 상대방의 생각을 자유롭게 표현하도록 유도한다

- 구체적인 제안: "어떻게 할까?" 뿐만 아니라, "이 방법은 어떨까?", "저 방법은 어떻게 생각해?"와 같이 구체적인 제안을 함께 제시하면 더욱 효과적이다

- 긍정적이고 격려적인 태도: "어떻게" 질문을 통해 상대방을 비난하거나 압박하는 것이 아니라, 긍정적이고 격려적인 태도를 유지하여 함께 해결책을 찾도록 돕는 것이 중요하다.

11. 가치와 방향을 결정한다(긍정적 의미 부여)

모든 일에 의미를 부여하라! 내가 무엇으로 할 것인가를 결정했으면 먼저 해야할 일과 중요도에 의미를 부여하는 것이 좋다. 내가 정한 중요도와 우선순위 의미부여를 통해 긍정적인 생각과 실천의 가치를 더 높일 수 있다. 내가 선택한 중요도와 우선순위에 의미부여를 가중할수록 마음의 행복과 삶의 가치는 더 높아진다.

의미를 어떻게 부여했는지 예를들어보자. 한자 일(一)과 아라비아 숫자 일(1) 하나라는 의미이지만 그 의미는 다르다. 한자 일(一)은 수평으로 동양의 곡선미를 의미하고, 서양의 아라비아 숫자 일(1)은 수직으로 직선미를 의미한다. 동양의 한자 일(一)은 여유로움, 한가로움, 공평함 속에서 펼쳐지는 평등이고, 한자 일(一)은 수평선 같지만 굽이굽이 돌아서 가거나 자연 그대로의 아름다움이다. 반면 서양의 아라비아 숫자 일(1)은 직선적이고 단도직입적이다.

또한 한자 "일(一)"은 "하나"라는 숫자를 의미하는 동시에, 시작, 통합, 조화 등 다양한 의미를 내포하고 있다. 반면, 아라비아 숫자 "1"은 순전히 숫자적인 개념으로서 "하나"를 나타낸다. 이처럼 같은 "하나"라는 의미를 담고 있지만, 두 기호는 그 의미와 역할에 있어 분명한 차이를 보인다.

의미 부여를 통한 긍정적인 효과를 본 대표적인 사례로는 마틴 루터 킹 주니어가 인종 차별과 불평등에 맞서 싸우면서 "나는 꿈을 꾼다"라는 연설을 통해 평등과 자유라는 의미를 부여하여 사회 변화를 이끌었고, 빅터 프랑클은 나치 수용소라는 극한 상황에서도 인간 존엄성과 희망이라는 의미를 부여함으로써 삶을 지탱하고 다른 사람들에게 희망을 선물했다. 마리 퀴리는 과학 연구에 대한 열정과 헌신을 통해 방사능 연구라는 의미를 부여하여 과학 발전에 크게 기여했다.

모두를 위한 의미부여 사례로 일본의 이키가이는 "살아가는 이유", "삶의 가치"를 의미하며, 일본 사람들이 삶의 의미를 찾는 데 중요한 역할한다. 프랑스의 라 프티트 모르는 프랑스 문화에서 중요시하는 작은 행복과 즐거움을 의미한다. 일상 속 작은 순간에 감사하고 즐거움을 찾는 태도를 강조한다. 아프리카의 우분투는 "나"가 아닌 "우리"를 중시하는 아프리카의 공동체 정신으로, 서로 존중하고 배려하며 함께 살아가는 삶의 의미를 강조한다.

우리는 의식적이든 무의식적이든 주변 세상을 이해하고 경험하기 위해 모든 사물과 사건에 의미를 부여한다. 의미 부여는 개인의 가치관, 경험, 문화적 배경에 따라 달라질 수 있으며, 삶의 방향과 목적을 설정하는 데 중요한 역할한다. 일상적인 소소한 일에도 의미를 부여하면 기분도 좋고 일하는 가치와 기쁨도 배가 될 것이다.

[출구 팁] 나만의 의미 부여하는 방법

. 자신에게 중요한 가치와 목표를 탐색한다.

. 다양한 경험을 통해 삶의 의미를 찾는다.

. 감사하는 마음을 가지고 일상 속 소소한 작은 행복을 함께 한다.

. 다른 사람들과의 공동체 참여를 통해 의미를 찾는다.

12. 내게 필요한 관계는 느낌이다(감정적 공감과 공유)

"느낌"은 단순한 감정을 넘어, 상대방과의 깊은 공감과 진정한 연결을 가능하게 하는 중요한 요소이다. 눈빛, 표정, 몸짓, 목소리 톤 등 언어로 표현되지 않는 미묘한 감정을 통해 서로를 이해하고 공감하며 관계를 더욱 풍요롭게 한다.

대면 만남이 아닌 SNS는 편리한 소통 도구이지만, 느낌을 전달하는 데에는 한계가 있다. 문자나 이미지는 감정의 일부만을 표현할 수 있으며, 실제 상호작용 없이 이루어지는 소통은 피상적일 수밖에 없다. SNS는 비교 의식이나 자기 연출에 대한 부담감을 유발할 수 있으며, 이는 진정한 느낌의 연결을 방해하는 요인이다.

페이스북, 트위터, 인스타그램, 유튜브 등 쇼셜미디어 매체를 활용한 대인관계 접속은 로그아웃으로 끝난다. SNS를 통한 네트워크 대인관계는 한계가 있다. 왜 감정적으로 느끼는 그런 느낌이 없기 때문이다. 진정성이 살아 있는 관계는 인간의 본질에 있다. 관계는 소통에서 발생한다. 소통이 원활하지 않으면 느낌도 없다. 느낌이 없으면 형식적인 관계, 소멸적인 관계, 일시적인 관계로 끝난다. 마음에서 울어나오는 느낌이 있어야 실질적 관계, 생산적 관계, 지속적인 관계가 가능해진다. 좋은 느낌이 나의 정신과 마음을 건강하게 지배하기 때문이다.

SNS를 통한 관계 형성은 공통 관심사에 대한 유용한 소통도구이기는 하다. 우리 삶 전체의 소통도구는 아니다. 소통도구는 여러 채널이 있다. 언어적 소통과 비언어적 소통이 있다. 언어적 소통보다는 비언어적 소통에서 느낌이 더 많이 발생한다. 그 역할을 하는 것은 SNS 등을 통한 접속이 아니다. 사람과 사람간의 면대면에 있다. 다른 사람과의 소통에 있어 가장 중요한 것은 속도와 넓이보다는 방향과 깊이에 있다.

예를 들면, 페이스북, 트위터, 유튜브 등 SNS 매체를 활용한 빠른 정보, 실시간 대화, 다수의 네트워크는 속도와 넓이에서 큰 비중을 차지한다. SNS를 통한 소통의 방향과 각도, 그 깊이는 비중이 낮다. 왜냐하면 긍정적인 생각과 창의적인 사고, 좋은 느낌을 함께 공유하는 면대면 접촉의 의미가 부족하고 부정적인 댓글, 거짓정보가 많기 때문이다.

SNS를 통한 소통에서 못느끼는 느낌 사례를 보자. 친구가 힘든 일을 겪고 있다는 것을 SNS 게시물을 통해 알게 되었다. 댓글이나 메시지를 통해 위로를 전하지만, 직접 만나 눈물을 보고 어깨를 껴안아주는 위로의 따뜻함은 느낄 수 없고, 연인과 하루 종일 SNS 메시지를 주고받지만, 직접 만나 눈빛을 맞추고 손을 잡으며 느끼는 애정과 설렘은 경험할 수 없다. 가족 여행 사진을 SNS에 올리고 좋아요와 댓글을 받지만, 함께 웃고 이야기를 나누며 만들어가는 소중한 가족과의 추억은 만들 수 없다. 반면, 직접 만난 대면관계에서 느끼는 느낌은 SNS 대신 직접 만나 소통함으로써 상대방의 감정을 더욱 깊이 이해하고 공감할 수 있고, 말보다 눈빛과 표정에 더 많은 감정이 담겨 있다는 것을 알 수 있다. 상대방의 눈빛을 바라보고 표정을 살펴보아라. 몸짓과 목소리 톤은 말하지 않은 감정을 드러낼 수 있다. 상대방의 몸짓과 목소리 톤에 주의 깊게 귀 기울여보아라. 상대방의 감정을 이해하고 공감한다는 것을 표현하는 것이 중요하다. 만남에서의 느낌과 SNS를 통한 느낌이 다르다. 우리에게는 느낌이 있는 감성적인 소통이 필요하다. 우리에게 필요한 것은 사람과 사람 사이의 면대면 느낌이다.

[출구 팁] SNS소통의 느낌과 면대면 소통의 느낌 비교

	면대면 소통의 느낌	SNS 소통의 느낌
장점	* 직접적인 느낌 전달 * 상대방의 반응 확인 * 진정한 공감 형성	* 시간/공간 제약 없음 * 다수 사람들과 동시 소통 가능 * 다양한 콘텐츠 활용가능
단점	* 시간/공간 제약 * 긴장감/불편함 발생 가능	* 느낌 전달 어려움 * 오해 발생 가능 * 피상적인 관계 형성가능
유의사항	* 경청, 존중, 긍정적 태도, 비언어적 표현, 적절한 거리 유지, 분위기 읽기, 솔직함, 명확한 의사 표현, 건설적 피드백, 열린 마음	* 긍정적/건설적 콘텐츠, 사려깊은 댓글/메시지, 개인정보 보호, 현실/온라인 분리, SNS피로 관리, 비판적 사고, 정보 확인
가이드	* 진정한 공감과 관계 형성 중요 * 시간/공간 제약 또는 다수 사람들과 소통 필요	* 편리함, 다수 사람들과 소통, 정보 공유 중요 * 진정한 공감과 관계형성 중요

13. 비워야 싹이 튼다(쓸데없는 생각은 쓰레기통에)

쓸데없는 생각이란 과거에 대한 후회나 미래에 대한 불안에 있다. 이미 지나간 일을 되돌아보거나 아직 오지 않은 미래에 대한 걱정은 불필요한 스트레스만 유발할 뿐이다. 또한 모든 것을 완벽하게 해내야 한다는 강박관념은 현실적인 목표 설정을 방해하고 불안감을 증가시키는 쓸데없는 생각이다. "나는 못한다", "나는 운이 없다"와 같은 부정적인 생각과 일상생활에서 "나는 하는 일 마다 되는 일이 없지?' 라는 생각에 몰두하는 것 자체도 쓸데없는 생각이다.

요즘 수면 문제로 병원을 찾는 사람이 부쩍 늘었다. 스트레스 때문이다, 피곤해서, 머리가 아파서, 일이 뜻대로 되지 않아서, 불면증에 걸려서 등의 이유로 잠이 안온다고 한다. 불면증의 원인은 주로 스트레스가 쌓여서 그렇다고들 한다. 스트레스는 잠을 자는데 방해가 되는 걸림돌인 것은 맞다.

하지만 잠을 못 자는 근본적인 원인은 스트레스보다는 쓸데없는 생각 때문이다. 쓸데없는 생각은 불면증을 야기한다. 쓸데없는 생각은 일을 할 때, 애인과 이야기를 나눌 때, 공부를 할 때, 잠을 잘 때, 커피를 마실 때, 밥을 먹을 때, 쉴 때도 하지. 쓸데없는 생각을 하다가도 무언가에 집중하다 보면 잡생각을 하는지도 모르고 지나갈 때가 많다. 생각의 에너지를 소진하고 있다.

쓸데없는 생각은 뇌를 너무 자극해 과부하 상태로 만들어 머리를 아프게 하거나 걱정거리를 생산한다. 잠을 잘 때도 마찬가지다. 잠자리에서 생각의 무지 상태이면 쉽게 잠을 잘 수 있으나 이런저런 쓸데없는 생각을 많이 하면 잠을 잘 수 없다. 쓸데없는 생각은 잠을 지배하고 조정하기 때문이다. 쓸데없는 생각으로 잠을 제대로 자지 못하는 사람은 불면증을 해결하기 위해 술을 먹고 자거나 수면제를 먹고 잔다. 이는 임시적인 해결책일 뿐 근본적인 해결책은 될 수 없다.

일을 할 때, 애인과 이야기를 나눌 때, 공부를 할 때, 잠을 잘 때, 커피를 마실 때, 밥을 먹을 때, 쉴 때 어떻게 하면 쓸데없는 생각을 하지 않을까? 쓸데없는 생각을 과감히 쓰레기통에 버리면 된다. '어떻게?' 쓸데없는 생각을 버리나요?. 쉽지않지만 잠잘 때 비소리, 명상소리, 하천 물소리 등 고요한 음악을 들으면서 잠을 자보고, 전등을 끄고 창문 커튼을 막고 어두운 방에서 자보고, 쓸데없는 생각이 들끓으면 먼저 원래 집중했던 생각 하나만 해보고, 혼자 속으로 1에서 100까지 숫자를 중얼거리다 자보고 다양한 방법을 찾아 시도해보자. 그래도 풀리지 않으면 '나는 행복하다', '나는 행복하다' 또는 '나는 편안하다', '나는 편안하다'를 되풀이하면서 중얼거린다. 이렇게 집중하다 보면 머리와 마음은 편안해진다. 쓸데없는 생각을 버린다는 것은 처음부터 잘 되지는 않을 거다. 쓸데없는 생각을 하지 않는 연습을 계속하고 매일 꼭 해야 할 일 한 가지만이라도 체화한다면 가능해진다. 중요한 것은 쓸데없는 생각을 하지 않는 것 자체만으로도 마음의 행복을 느낄 수 있다.

우리의 일상과 조직생활에서 이런 저전 생각과 관련되지 않은 것은 없다. 그렇다면 쓸데없는 생각이 아닌 좋은 생각이란 무엇인가? 내가 중요하다고 생각하는 것, 생각하고 싶은 것을 비판하고 실천하는 것, 부정적인 생각보다 긍정적인 생각을 하는 거이다. 사람의 성격 유형에 따라 다르지만 생각이 행동으로 이어지는 경우가 많다. 그래서 우리는 더 좋은 삶을 위해서 더 좋은 생각을 해야만 한다. 더 비판적이고 실천적인 사고도 늘 배우고 익혀야 한다. 좋은 생각은 좋은 나를 만들어 주기 때문이다. 잠을 잘 못자는 것은 주로 나쁜 생각 때문이다. 기분 좋은 생각을 하면 마음 편안하게 푹 잘 수 있다

[출구 팁] 쓸데없는 생각을 하지 않는 방법

- 현재 이 순간에 집중하는 연습을 통해 쓸데없는 생각을 떠올리지 않도록 한다. 호흡에 집중하거나 주변 환경을 섬세하게 관찰하는 것이 도움이 된다.

- "나는 할 수 있다", "나는 충분히 가치 있다"와 같은 자기 긍정적인 생각으로 자신을 격려하고 긍정적인 에너지를 유지한다.

- 운동, 취미활동, 봉사활동 등 몰입할 수 있는 활동을 통해 쓸데없는 생각을 떨쳐버리고 성취감을 얻는다.

- 자신이 가진 것에 감사하는 마음을 가지면 부정적인 생각을 줄이고 행복감을 높일 수 있다.

- 쓸데없는 생각으로 인해 일상생활에 지장을 받는 경우 전문가의 도움을 받는 것도 좋다.

- 쓸데없는 생각이 떠오르면 쓰레기통에 버린다. 즉 마음에서 있는 쓸데없는 생각의 덩어리 등을 모두 버리고 잊어버린다.

- 쓸데없는 생각이 반복될 때, "그만!" "멈춰!"라고 스스로에게 명령하고 다른 생각으로 전환한다

- 운동, 음악 감상, 독서 등 즐거운 활동으로 쓸데없는 생각에 대한 집중을 끊는다.
- "지금 내가 할 수 있는 건 무엇일까?", "어떻게 해야 더 행복할 수 있을까?"와 같은 긍정적인 질문으로 생각을 이끌어 나간다.
- 쓸데없는 생각을 기록하고 분석하여 어떤 상황에서 발생하는지 파악하고 대처 방법을 찾아본다.

14. 나쁜 세균을 먹고싶지 않다(신선한 계란 구매)

주부들이 계란 구매 시 중요하게 생각하는 것은 신선도, 가격, 브랜드, 포장, 공인된 등급상태, 산란일, 냉장 유통 기한 등이다. 이 중 가장 중요하게 생각하는 것은 신선도이다. 계란을 구매하는 장소는 대형마트, 재래시장, 상가 슈퍼, 계란도매차량, 편의점 등이다. 구매 장소의 선택은 장을 보러 갔다가 사오거나 집에서 가까운 할인점에서 산다.

맛있고 건강한 요리를 위해 신선한 계란을 구매하는 것은 매우 중요하다. 하지만, 어떻게 해야 신선한 계란을 구매할 수 있을지 고민하는 경우가 많다. 신선한 계란을 구매하기 위한 방법은 다음과 같다.

1. 계란 껍질 확인하기

- 껍질 표면 : 신선한 계란은 껍질 표면이 거칠고 까칠하며 얇은 큐티클층으로 덮여 있어 광택이 없다. 오래된 계란은 큐티클층이 없어지고 매끄럽고 광택이 흐릿하다.

- 껍질 색깔: 껍질 색깔은 닭의 종류에 따라 다르지만, 일반적으로 흰색, 갈색, 엷은 갈색 등이 있다. 색깔보

다는 껍질 표면의 상태가 신선도를 판단하는 데 더 중요하다.

- 깨진 계란: 깨진 계란이나 균열이 있는 계란은 선택하지 않는다. 균열로 인해 세균 침투 가능성이 높아 신선도가 떨어지고 위생적인 문제가 발생할 수 있다.

2. 산란일 확인하기

- 유통기한보다는 산란일자 확인: 계란 포장에는 유통기한이 표시되어 있지만, 신선도를 판단하기 위해서는 산란일을 확인하는 것이 더 중요하다. 산란일은 일반적으로 7자리 숫자로 표시되며, 첫 번째 숫자는 생산 방식을, 2~7번째 숫자는 생산 연도, 월, 일을 나타낸다.

- 산란일 기준: 최대한 산란일이 최근인 계란을 선택하는 것이 좋다. 일반적으로 산란 후 2주 이내의 계란을 신선하다고 본다.

- 산란일 확인 방법: 계란 포장 상자나 껍질에 직접 표시되어 있을 수 있으며, 마트 직원에게 문의하여 확인할 수도 있다.

3. 흔들어보기

- 흔들었을 때 소리: 신선한 계란은 흔들었을 때 뚜렷한 소리가 나지 않는다. 오래된 계란은 흔들었을 때 흰자와 노른자가 서로 부딪히면서 좌좌거리는 소리가 난다.

- 흔들림 정도: 신선한 계란은 껍질이 단단하고 흔들어도 크게 흔들리지 않습니다. 오래된 계란은 껍질이 약해져 흔들면 흔들리는 느낌이 뚜렷하다.

4. 보관 방법

- 냉장 보관: 계란은 냉장 보관하는 것이 좋다. 냉장 보관하면 세균 번식을 억제하고 신선도를 유지할 수 있다.

- 문틈 보관: 냉장고 문틈은 온도 변화가 심하여 계란 보관에 적합하지 않다. 냉장고 안쪽 선반에 보관하는 것이 좋다.

- 깨끗하게 유지: 계란 껍질에는 세균이 존재할 수 있으므로, 다른 식품과 접촉하지 않도록 깨끗하게 유지해야 한다.

5. 기타 유의사항

- 구매 장소: 신뢰할 수 있는 마트나 식품점에서 구매하

는 것이 좋다.

- 브랜드: 안전하고 신선한 계란 생산에 노력하는 브랜드의 제품을 선택하는 것이 좋다.
- 가격: 싼 가격에 유혹되지 말고, 신선도를 고려하여 구매하는 것이 좋다.

[출구 팁] 고르고 보관하는 방법
- 마트에서는 산란일이 최근인 제품을 선반 뒤쪽에서 찾아라. 일반적으로 신선한 제품은 뒤쪽에 보관한다.
- 계란을 집으로 가져온 후에는 깨끗한 용기에 담아 냉장 보관한다. 냉장고 문짝보다는 안쪽 선반에 보관하는 것이 좋다.
- 계란을 깨뜨릴 때 흰자가 퍼지지 않고 뭉쳐 있고 노른자가 높이 솟아오르는 것은 신선한 계란이다.

15. 여자가 남자를 볼 때(첫인상과 키)

여자가 남자를 볼 때 제일 먼저 보는 게 뭘까? 성격일까, 외모일까, 인상일까, 얼굴일까. 자신감일까. 가장 중요한 것은 바로 첫인상과 키다. 여자는 '남자가 잘 생겼냐, 키는 크냐, 재력가냐, 유머는 있냐, 나를 사랑해줄 사람이냐'에 관심 있다. 여자의 관심은 늘 변한다. 처음 볼 때는 외모와 인상을 보지만 이야기를 하다 보면, 자기와는 생각, 취미, 성격이 맞지 않거나 여자의 관심사항이 아닌 자기만 잘났다고 자기주장이나 자기가 하고 싶은 이야기만 하는 남자이면 그 여자의 관심은 점점 멀어진다.

여자는 남자의 훈훈한 외모를 본다. 여자가 남자를 볼 때 중요하게 생각하는 것은 키가 크고 자기만을 사랑하고 보호해 줄 것 같은 믿음직스러운 남자를 원한다. 여자가 남자를 볼 때 남자의 키는 여자에게 있어서는 선택의 중요한 기준은 맞다. 여자가 남자를 볼 때 키 이외에 가장 중요하게 생각하는 것은 무엇인가? 외모(인상, 얼굴, 표정, 몸짓, 몸매, 헤어스타일 등), 능력(직장, 직위, 체력, 재산, 수입, 자동차 등), 유머(목소리, 말투, 존댓말, 재미있는 이야기 등), 성격(혈액형, 외향적, 내성적, 적극적, 소극적 등), 학력(고졸, 대학교졸, 대학원졸 등) 등이다. 여자가 남자를 볼 때는 키 등 가시적인 외모부터 보기 시작한다. 그런 다음 학력, 능력, 유머 등을 본다. 여자는 자기의 눈에 반할 수 있는 멋진 남자를 원한다. 상황에 따라 여자가 남자를 보는 눈이 다르겠지만, 주로 여자가 남자를 볼 때 가장 먼저 보는 곳은 키, 얼굴, 어깨, 목소리, 허벅지이고 한다

여자가 남자를 볼 때 드라마나 영화에 나오는 유명 연예인와 같은 잘생긴 얼굴에 키가 큰 남자를 원한다. 하지만 자기가 원하는 키 크고 잘생긴 남자는 알고 보면 이미 다른 여자와 사귀고 있다. 어쩔 수 없이 키 크고 잘생긴 비슷한 남자를 다시 만난다. 처음 만나 볼 때 자기가 원하는 남자가 아니라 만족하지는 못한다. 하지만 시간이 지남에 따라 여자의 관심은 변한다.

중요한 것은 여자가 원하는 남자의 조건을 꼭 충족해야만 하는 것은 아니다. 여자는 사귀는 남자가 자기가 원하는 남자의 조건에 들지 않고 잘생기고 키가 큰 남자가 아니어도 된다. 그 남자가 내 이야기를 잘 들어주고 자기만을 사랑해 주면 된다. 결국 여자는 모성애를 발휘하여 키는 큰데 얼굴이 못생겼으면 성형하면 되고, 머리스타일은 내 스타일에 맞게 바꾸면 되고, 잘 생겼는데 키가 작으면 신발에 깔창을 깔면 되고 등등 자기의 스타일에 맞게 남자의 조건을 합리화시켜 나간다.

여자의 마음은 참 오묘하다. 여자는 남자를 처음 볼 때 자기가 원하는 기준으로 남자를 평가하나 남자와의 만남 시간과 성격 등이 비슷하면 그 남자를 자기가 원하는 남자로 변화도록 유도한다. 어느 정도 자기가 원하는 헤드라인에 도달하면 눈과 마음으로 받아준다. 이게 여자의 마음이다..

[출구 팁] 여자가 남자 볼 때 : 호감가는 남자와 호감가지 않는 남자
1.호감가는 남자
[말]

- 칭찬: 외모, 성격, 능력 등을 칭찬하는 말을 한다. 예를 들어, "오늘 옷 잘 어울리네요", "웃는 모습이 멋있어요" 와 같은 칭찬의 말을 한다.
- 질문: 상대방에 대한 관심을 표현하기 위해 다양한 질문을 한다. 예를 들어, "취미는 무엇인가요?", "어떤 음악을 좋아하세요?" 와 같은 질문을 한다.
- 장난: 친근감을 표현하기 위해 가벼운 장난을 치거나 농담을 한다.
- 공감: 상대방의 말에 공감하고 동조하는 말을 한다.

- 함께 하고 싶은 의사 표현: "다 같이 등산해요", "다음에 시간 되면 영화관 같이 가요" 와 같이 함께 시간을 보내고 싶은 의사를 표현한다.

[몸짓]

- 눈 맞춤: 상대방과 자주 눈을 마주치고 시선을 유지한다.
- 미소: 자주 웃으며 긍정적인 반응을 보인다.
- 몸 기울이기: 상대방에게 몸을 기울여 흥미와 관심을 끈다.
- 머리카락 만지기: 머리카락을 만지거나 정리하는 것은 상대방에게 관심을 표현하는 몸짓이다.
- 장난스러운 몸짓: 가볍게 팔을 치거나 꼬집는 등 장난스러운 몸짓으로 친근감을 표현한다.

[호감가는 사례]

여자: 오늘 셔츠 정말 잘 어울리네요. 어디 브랜드인가요?

남자: 고맙습니다. Macy's에서 샀어요.

여자: 저도 그 브랜드 좋아하는데요. Calvin Klein도 잘 어울릴 것 같아요.

남자: 정말요? 다음에 같이 가서 봐요.

여자는 남자의 옷을 칭찬하고 질문을 통해 대화를 이어나가며, 함께 쇼핑을 가고 싶은 의사를 표현하여 호감을 드러낸다.

2. 호감가지 않는 남자

[말]

- 간결한 답변: 질문에 대해 간결하고 냉담하게 답변한다.
- 주제 바꾸기: 흥미가 없어 보이는 모습으로 주제를 바꾸려 한다.
- 부정적인 평가: 상대방의 외모, 성격, 능력 등을 비판하거나 부정적으로 평가하는 말을 할 수 있다.

[몸짓]

- 눈 맞춤 피하기: 상대방과 눈을 맞추지 않고 시선을 피한다.
- 팔짱 끼기: 방어적인 자세를 취하며 닫혀 있는 모습을 보인다.
- 하품 : 지루함을 표현하거나 흥미가 없는 모습을 보인다.

- 휴대폰 사용: 상대방과의 대화보다는 휴대폰 사용에 집중한다.

[호감가지 않는 사례]

남자: 오늘 날씨 좋네요. 같이 산책할까요?"

여자: 네, 그래요.

남자: 요즘 뭐 재밌는 일 있었어요?

여자: 아~, 별로 없어요.

남자: 저는 요즘 유튜브에 관심이 많아서 공부하고 있는데요.

여자: 그래요. 재밌겠어요.

여자는 간결한 답변으로 대화를 이어나가지 않고, 흥미가 없는 모습으로 시선을 피하며 휴대폰을 사용한다. 이는 남자에게 호감이 없음을 나타내는 몸짓이다.

16. 남자가 여자를 볼 때(여자의 마음은 수수께끼)

남자가 여자를 보는 시각은 나라마다 다르다. 외국 남자들이 여자를 볼 때 제일 먼저 보는 곳은 케냐는 엉덩이, 태국은 하얀 피부, 러시아는 머리 스타일, 남미는 잘록한 허리, 독일과 이탈리아는 가슴, 우리나라는 얼굴이라고 한다. 여자는 남자가 자신의 가슴과 몸매를 본다고 생각한다. 그래서 여자는 본능적으로 가슴을 크게 해. 작은 가슴을 가진 여자는 거금을 투자해서 유방 확대 수술을 한다. 그 이유는 남자의 시선을 끌기 위해서이다. 과연 맞는 말일까? 남자는 여자를 볼 때 어디부터 볼까? 과학적인 연구에서 남자는 여자를 처음 볼 때 제일 먼저 얼굴을 본다. 얼굴 중에서도 여자의 눈을 가장 먼저 본다. 얼굴을 보는 동시에 가슴, 엉덩이, 다리를 본다. 남자에 따라 보는 각도가 다르지만 대부분 남자는 여자를 볼 때 가장 중요하게 생각하는 것은 예쁜 얼굴, 멋진 몸매, 가슴, 엉덩이, 다리이다. 남자는 본능적으로 예쁜 여자를 좋아한다. 키가 작고 가슴도 작아도 예쁘기만 하면 의상, 화장, 용모, 자세 등으로 충분히 남자의 시선을 끌어들인다. 하지만 남자는 여자와 오랜 관계를 유지하고 싶을 때에는 예쁜 외모뿐만 아니라 성적매력, 모성애, 지능, 성격, 유머감각 등에 더 관심을 둔다. 남자는 결혼 후에도 아내가 외모를 얼마나 잘 가꾸느냐에 따라 성적 매력을 느낀다. 그래서 여자는 남자의 시선을 의식에 시간과 거금을 투자해 성형을 하거나 살을 빼는 운동을 하거나 식이요법을 한다.

남자나 여자나 시각적인 외모는 상대방의 반응과 태도에 큰 영향을 미친다. 외모에 신경을 쓸 수밖에 없다. 그렇다고 모든 여자가 외모에 집착하지 말라는 의미는 아니다. 껍데기만 보고 판단해서는 안 된다 의미다. 중요한 것은 남자가 여자를 볼 때 외모도 중요한 요소이겠지만 여자와 폭넓은 대화를 할 수 있는 그런 남자가 되어야 한다. 여자는 이야기를 들어줄 수 있는 그런 남자를 좋아한다.

남자는 예쁜 여자 특히 멋진 가슴을 가진 여자를 좋아한다. 반면 여자는 키 크고 잘생긴 남자를 좋아한다. 남녀관계는 눈에 보이는 가시적인 외모로 결정해서는 안 된다. 남녀 각각 자신의 마음에 있는 내면의 빛을 보아야 한다. 남자가 여자를 볼 때 여자의 내면을 볼 수 있어야 한다. 어떻게 내면을 볼 수 있지?. 남자는 여자의 다양한 화제거리를 들어주면 된다. 남자는 여자와 대화를 할 때 무조건 마음으로 경청을 해주고 그 대화 속에서 여자의 내면을 찾아야 한다. 남자가 여자를 볼 때 여자의 외모도 중요하지만 더 중요한 것은 그 여자의 내면에 있는 마음과 생각 그 자체를 보면 된다. 그러면 여자는 마음의 문을 활짝 열어준다.

[출구 팁] 남자가 여자 볼 때 : 호감가는 여자와 호감가지 않는 여자

1. 호감가는 여자

[말]

- 칭찬: 외모, 성격, 능력 등을 칭찬한다. 예) "오늘 옷 정말 예쁘네요.", "당신 정말 재밌는 사람이네요.", "너무 똑똑해요."

- 질문: 그녀에 대해 더 알아보고 싶어 질문을 많이 던진다. 예) "어떤 일을 하고 있어요?", "취미는 무엇인가요?", "어떤 음악을 좋아해요?"

- 농담: 그녀를 웃게 하고 싶어 농담을 하거나 장난을 친다.

- 관심 표현: 그녀의 말에 귀 기울이고 공감하며, 자신의 생각과 감정을 솔직하게 표현한다.

- 데이트 신청: 만나고 싶다는 의사를 직접적으로 표현한다. 예) "이번 주말에 같이 영화 볼래요?", "다음에

저녁 같이 먹으러 갈래요?"

[비언어적 몸짓]

- 눈 맞춤: 자주 눈을 맞추고, 미소를 지으며 긴장된 듯한 모습을 보인다.

- 몸짓: 몸을 그녀 쪽으로 향하게 하고, 팔짱을 끼거나 의자에 기대앉아 편안한 모습을 보인다.

- 몸단장: 머리를 만지거나 옷을 여미는 등 자신을 의식하는 몸짓을 한다.

- 웃음: 그녀의 말에 진심으로 웃고, 긍정적인 반응을 보인다.

- 접촉: 가볍게 어깨를 탁 치거나, 팔을 살짝 잡는 등 섬세한 신체적 접촉을 시도할려고 한다.

[호감가는 사례]

남자: 오늘 옷 정말 예쁘네. 어디서 샀어?

여자: 고마워. 이거 새로 산 거야.

남자: 너랑 같이 있으면 시간 가는 줄 모르겠다. 너무 재밌는걸.

여자: 나도 너랑 같이 있으면 편안하고 즐거워

2. 호감가지 않는 여자

[말]

- 간단한 인사나 답변만 하고, 대화를 꺼리거나 짧게 마무리한다.
- 칭찬이나 질문을 하지 않고, 자신의 이야기만 한다.
- 무관심하거나 차가운 태도를 보인다.

[비언어적 몸짓]

- 눈을 맞추지 않거나, 짧게만 눈을 맞춘다.
- 몸을 다른 방향으로 돌리거나, 팔짱을 끼고 닫힌 자세를 보인다.
- 지루하거나 불편한 표정을 지을 수 있다.
- 휴대폰을 보거나 주변을 살피며, 다른 곳에 집중한다.
- 신체적 접촉을 피한다.

[호감가지 않는 사례]

남자: 네가 뭘 좋아하는지 잘 모르겠어.

여자: 음... 좋아하는 게 많아서 말하기 어려워.

남자: 나는 그런 건 별로 관심이 없어.

여자: 그래?

17. 무관심의 위험(깨친 유리창과 같다)

무관심은 관심이 없거나 전혀 관심을 갖지 않는 상태이고, 관심은 어떤 것에 마음이 끌려 주의를 기울이거나 그러한 마음가짐을 뜻한다. 관심은 사람이든 사물이든 무엇이든지 간에 보고 듣고 느끼고 함께하는 끄는 힘이 있다. 반면 무관심은 사람이든 사물이든 무엇이든지 간에 보지 않고 듣지 않고 느끼지 않고 함께하지 않는 상태이다. 그렇다면 무관심과 관심에는 어떤 차이가 있을까? 사람들과의 관계는 관심이 있냐 없냐에 따라 달려있다. 예를 들어, 1982년 발표한 제임스 윌슨과 조지 캘링의 깨진 유리창 법칙에서 깨진 유리창은 무관심 속에서 발생했다는 사실을 알 수 있다. 관심과 무관심을 증명하는 재미있는 실험 2건을 소개한다.

첫 번째 실험은 1969년 스탠포드 대학의 심리학자 필립 짐바리도 교수에 의해 실행했다. 치안이 비교적 허술한 골목을 골라 거기에 보존 상태가 동일한 두 대의 자동차 보닛을 열어놓은 채로 1주일간 방치해 두었다. 그 중 한 대는 보닛만 열어놓고, 다른 한 대는 고의적으로 창문을 조금 깬 상태로 놓았다. 약간의 차이만이 있었을 뿐인데, 1주일 후 두 자동차에는 확연한 차이가 나타났다. 보닛만 열어둔 자동차는 1주일간 특별히 그 어떤 변화도 일어나지 않았다. 반면 보닛을 열어놓고 차의 유리창을 깬 상태로 놓아 둔 자동차는 그 상태로 방치된 지 겨우 10분 만에 배터리가 없어지고 연이어 타이어도 전부 없어졌다. 계속해서 낙서나 투석, 파괴가 일어났고 1주일 후에는 완전히 고철 상태가 될 정도로 파손되었다.

두 번째 실험은 뉴욕시에서 있었다. 뉴욕시는 1980년대 연간 60만 건 이상의 중범죄 사건이 일어났나. 뉴욕시의 치안은 형편없었다. 미국의 라토가스 대학의 겔링 교수는 뉴욕시의 지하철 흉악 범죄를 줄이기 위한 대책으로 낙서를 철저하게 지울 것을 제안했다. 낙서가 방치되어 있는 상태는 창문이 깨져있는 자동차와 같은 상태라고 생각했기 때문이다. 당시 교통국의 데빗 간 국장은 겔링 교수의 제안을 받아들여서 무려 6,000대에 달하는 지하철 차량의 낙서를 지웠다. 낙서가 얼마나 많았던지 지하철 낙서 지우기 프로젝트를 개시한 지 5년이나 지난, 1998년 드디어 모든 낙서를 지웠다. 낙서 지우기를 하고 나서 뉴욕시의 지하철 치안은 어떻게 되었을까? 믿기 어렵겠지만 그때까지 계속해서 증가하던 지하철에서의 흉악 범죄 발생률이 낙서 지우기를 시행하고 나서부터 완만하게 줄어들었다. 2년 후부터는 중범죄 건수가 감소하기 시작해 뉴욕의 지하철 중 범죄 사건은 놀랍게도 75%나 급감했다.

좀 더 국제적인 관점에서의 무관심을 살펴보자. 1994년 르완다에서는 100일 동안 약 80만 명이 학살당하는 대량 학살이 발생했다. 국제 사회는 이 학살을 막기 위해 개입하지 않았고, 이는 더욱 큰 비극으로 이어졌고, 나치 독일의 홀로코스트(1939-1945)는 600만 명의 유대인이 학살당한 역사상 가장 끔찍한 비극 중 하나다. 당시 많은 사람들이 이 비극에 대해 알고 있었지만 무관심으로 방관했다. 또한 미얀마 정부(2017)의 로힝야 무슬림에 대한 탄압은 인종 청소로 규정될 만큼 심각한 문제가 되었다. 국제 사회는 이 문제에 개입하기 위해 노력하고 있지만 충분하지 않다.

몇 가지 사례에서 보듯이 무관심이 위험하다는 말은 단순한 경고가 아니다. 현실을 정확하게 반영하는 말이다. 우리 주변에서 일어나는 일들에 무관심하다 보면, 개인적인 문제부터 사회 전체 더나가 국제적으로 영향을 미치는 심각한 결과까지 초래한다.

사고나 사건은 아무도 관심을 갖지 않는 하찮은 것이나 소소한 일에서 일어난다. 사람은 큰 돌에 걸려 넘어지는 것이 아니다. 작은 돌에 걸려 넘어진다. 무관심은 개인과 조직의 미래를 흔든다. 중요한 것은 나, 가족, 친구, 회사 등과의 일상생활에서 하찮은 것이나 소소한 일에도 관심을 가져 주어야 한다.

[출구 팁] 무관심을 관심으로 전환하는 방법

방법	설명	예시
문제에 대해 배우고 알아보기	다큐멘터리 시청, 관련 기사 읽기, 전문가 강연 참석 등을 통해 문제에 대한 이해를 높인다.	빈곤 문제에 관심이 있다면, 빈곤 관련 다큐멘터리를 시청하거나, 빈곤 문제 전문가의 강연을 듣는다
작은 행동부터 시작하기	길거리 쓰레기 주우기, 봉사활동 참여, 주변 사람들에게 문제에 대해 이야기하기 등 작은 행동으로 관심을 표현한다.	환경 문제에 관심이 있다면, 길거리 쓰레기를 주우거나, 환경 보호 캠페인에 참여한다.
함께 행동하기	온라인 커뮤니티 참여, 시민 단체 가입, 문제 해결 캠페인 진행 등을 통해 다른 사람들과 함께 문제 해	동물 권리 문제에 관심이 있다면, 동물 권리 보호 단체에 가입하거나, 동물 학대 방지를 위한 캠페인을 진행한

	결에 노력한다.	다.
긍정적인 마음가짐 유지하기	문제 해결은 시간이 걸릴 수 있지만, 긍정적인 마음을 유지하고 포기하지 않도록 노력한다.	사회적 불평등 문제에 관심이 있다면, 사회 변화는 시간이 걸릴 수 있지만, 긍정적인 마음으로 꾸준히 목소리를 내는 것이 중요하다.
변화를 만들 수 있다는 믿음 가지기	당신의 작은 관심과 행동이 세상을 변화시킬 수 있다는 믿음을 가진다	교육 문제에 관심이 있다면, 당신의 관심과 참여가 아이들의 미래를 변화시킬 수 있다는 믿음을 가진다

18.사람과의 근접거리[프록시믹스] (현실과는 거리있다)

에드워드 홀에 의하면 사람과의 프록시믹스^(Proxe mics=접근거리)는 4가지의 종류가 있다고 한다. 사람과의 거리는 친밀한 거리(가까운 단계 15cm 이내, 먼 단계 15~45cm), 개인 거리(가까운 단계 45~76cm, 먼 단계 76~120cm), 사회적 거리(가까운 단계 1.2~2.1m, 먼 단계 2.1~3.6m), 공공 거리(가까운 단계 3.6~7.6m, 먼 단계 7.6m 이상) 등 4가지가 있다

사람과 사람과의 친밀한 거리는 일대일 관계에 있어서 매우 중요하다. 친밀한 접근거리는 두 사람 사이의 간격 45cm 이내를 특징으로 한다. 예를 들면, 연인 간 손을 잡고 포옹하거나 또는 두 사람이 나란히 함께 서 있는 거리를 말한다. 친밀한 거리는 사람과 사람과의 안락과 안녕을 공유한다. 아주 친밀한 관계가 아닌 사람이 친밀한 거리로 근접해 오면 뭔가 불편하고 어색한 느낌이 든다. 아무나 접근할 수 있는 공간이 아니다. 친밀한 거리는 같이 있음으로 접촉, 행복, 만족을 느낄 수 있는 공간을 말한다.

개인 거리는 가족, 가까운 친구와의 이야기를 하는데 사용하는 거리다. 개인 거리는 친밀한 거리보다 사람에게

조금 더 많은 공간을 제공하낟. 하지만 개인 거리는 여전히 친밀감에 근접하기 매우 쉽고 또한 서로 간의 감동 접근이 쉽다. 개인 거리 0.45m~1.2m를 특징으로 한다. 낯선 사람이 개인 거리 영역에 접근하면 그 또는 그녀는 낯선 사람의 접근으로 인해 불편함을 느끼게 되어 있다.

사회적 거리는 새로운 사람과의 만남이나 특정한 그룹의 사람들과 상호 작용하는 비즈니스에 사용하는 거리다. 사회적 거리는 큰 범위를 수용할 수 있다. 사회적 거리는 1.2m~3.6m를 특징으로 한다. 사회적 거리는 사회적 상황에 의존한다. 사회 거리는 학생, 동료, 지인들 사이에서 사용할 수 있다. 사회적 거리는 사람들이 이동할 수 있는 거리로 서로 신체적인 접촉을 하지 않는다. 어떤 사람은 다른 사람보다 훨씬 더 많은 물리적인 거리가 필요할 수 있다.

공공 거리는 사람 사이에 3.6m 이상에서 사용하는 거리다. 공공 거리는 두 사람의 공개적인 거리를 유지하기 위해 필요한 거리다. 예를 들면, 공원 벤치에 앉을 때, 가수가 대중 앞에서 노래할 할 때, 강연을 할 때, 선거 연설을 할 때 거리를 두는 것이 좋다.

이를 요약하면 다음과 같다.

	거리	설명	사례
친밀거리	0~45cm	매우 가까운 거리이며, 연인, 가족, 친한 친구 사이에서 사용되는 거리	연인이 손을 잡거나, 부모가 아이를 안아주는 행동
개인거리	45cm~120cm	대부분의 일상적인 대화에서 사용되는 거리	친구들과 대화하거나, 동료와 업무를 논의하는 행동
사회거리	120cm~360cm	공식적인 상황에서 사용되는 거리	면접, 강연, 회의 등에서 사용되는 거리
공중거리	360cm 이상	서로 잘 모르는 사람들 사이에서 사용되는 거리	길거리에서 서로 지나칠 때, 대중교통에서 옆자리에 앉을 때

실험결과는 나라마다의 문화와 특성 등이 다르기 때문에 현실적으로 정답은 아니다. 다만 상대방과의 예의를 위해 활용할 수는 있다. 나는 가족과 있을 때, 애인과 있을 때, 친구와 있을 때, 상사와 있을 때, 모르는 사람과 있을 때, 거리를 걸을 때, 강의할 때 사람과의 적절한 프록시믹스 (접근거리)를 유지하고 있는지 생각해 보자.

[출구 팁] 프록시믹스(접근거리)에서의 예의
• 상대방과의 관계에 맞는 거리를 유지하는 것이 중요하

다.

- 상대방이 불편해하는 것처럼 보이면, 거리를 조절해주는 것이 좋다.

- 낯선 사람에게 다가갈 때는 너무 가까이 다가가지 않도록 주의해야 한다.

- 앉아 있을 때는 다리를 꼬거나 넓게 벌리는 것은 피하는 것이 좋다.

- 시선 접촉은 존중과 관심을 표현하는 방법이지만, 너무 강한 시선은 상대방을 불편하게 할 수 있다.

19. 행복한 삶의 정답은 없다(주관적 행복이다)

무엇이 우리를 행복으로 이끄는가? 에 관한 조지 베일런
트의 연구결과, 사람들의 운명을 좌우한 것은 타고난 부
도, 학벌이나 명예도 아니라고 했다. 행복은 인간관계에
있다고 했다. 노인이 아침에 일어나는 이유는 살고, 일하
고, 어제까지 몰랐던 것들을 배우기 위해 그리고 다른 사
람과 소중한 순간을 나누기 위해서라고 한다.

"행복"은 인간이 끊임없이 추구하는 목표이지만, 그 정답
은 존재하지 않습니다. 마치 1,000명의 사람이 있다면
1,000가지의 행복이 존재한다고 말할 수 있을 정도로 개
인마다 행복의 기준은 다르기 때문이다.

삶의 정답은 없다는 의미다. 사람은 외모나 성격이 다 다
르기 때문에 삶 자체가 똑같다고 할 수 없다. 행복도 마
찬가지다. 같이 선택한 삶의 길이라도 행복한 사람도 있
고 불행한 사람도 있다. 행복은 결과가 아니다. 그 이유는
무엇일까? 그 정답은 자체가 존재하지 않기 때문이다. 그
이유는 무엇일가?

첫째. 개인의 가치관과 목표는 다르다. 행복이란 어떤 사
람은 물질적인 풍요로움을 누리는 것이라고 생각하고, 어

떤 사람은 정신적인 만족을 얻는 것이 행복이라고 생각한다. 또 어떤 사람은 성공적인 커리어를 쌓는 것이 행복이고, 어떤 사람은 가족과 함께 시간을 보내는 것이 행복이라고 생각한다. 둘째. 삶의 상황은 끊임없이 변화한다. 결혼, 이직, 자녀 출산 등 삶의 중요한 사건들은 우리의 행복에 큰 영향을 미친다. 어렸을 때 행복했던 것이 어른이 되어서는 행복하지 않을 수도 있고, 그 반대의 경우도 있다. 셋째, 행복은 주관적인 경험이다. 똑같은 상황에서도 사람마다 느끼는 행복의 정도는 다르다. 긍정적인 사고방식을 가진 사람은 어떤 상황에서도 행복을 찾는 경향이 있다. 넷째, 행복은 추구하는 과정에 있다. 행복을 목표로 삼고 노력하는 과정에서 우리는 성장하고 발전할 수 있다. 목표를 달성했을 때 느끼는 순간적인 행복보다는 목표를 향해 나아가는 과정에서 느끼는 만족감이 더 중요하다.

따라서, 행복을 추구하는 과정 자체를 즐기는 것이 중요하다. 새로운 것을 배우고, 다양한 경험을 하고, 목표를 향해 노력하는 과정에서 우리는 진정한 행복을 찾을 수 있다.

우리는 자신의 가치관과 목표를 바탕으로 행복을 추구해야 한다. 삶의 변화에 유연하게 대처하고, 긍정적인 사고방식을 유지하며, 행복을 추구하는 과정 자체를 즐기는 것이다. 행복은 여행과 같다. 목적지에 도착하는 것이 중요한 것이 아니다, 여행하는 과정을 즐기듯이 일상의 삶을 즐기면서 만들어 가는 것이 행복이다. 지금 이 순간을 즐겨라. 이것이 일상에서의 행복이다.

이런 일상에서의 행복을 유명인이고 돈도 있는 사람과 돈없는 사람은 어떻게 행복함을 느낄가? 주관적이지만 두 사례를 살펴보자.

첫째,할리우드 최고의 배우 중 한 명인 톰 행크스는 명성과 부를 누렸지만, 그는 작은 것들에 감사하는 마음으로 행복을 찾는다. 그는 팬들과의 만남, 커피 한 잔, 가족과 함께하는 시간 등 일상 속 작은 행복에 감사하며 살아간다. 그의 행복은 외부적인 요소에 의존하지 않고, 내면의 만족감에 기반하고 있다고 본다. 둘째, 돈이 없는 사람도 행복감을 느낀다. 한 익명의 노숙자는 자신이 가진 몇 푼의 돈으로 길거리 음악가에게 커피를 사주며 행복을 느낀다. 그는 물질적인 풍요로움보다는 다른 사람을 돕는 기쁨에서 행복을 찾는다. 그의 행복은 나눔과 사랑에서 있다. 행복은 객관적인 기준으로 측정될 수 없으며, 사람마다 다르게 느끼는 주관적인 개념에 불과하다. 돈 있는 사람이나 돈 없는 사람이나 모두 자신에게 맞는 방식으로 행복을 찾으면 된다.

[출구 팁] : 행복을 찾아 소확행하는 방법

- 감사하는 마음: 자신이 가진 것에 감사하는 마음을 가지면 행복감을 높일 수 있다.
- 긍정적인 사고방식: 긍정적인 사고방식을 유지하면 어려움 속에서도 행복을 찾을 수 있다.
- 목표 설정: 목표를 설정하고 이를 이루기 위해 노력하는 과정에서 행복을 느낄 수 있다.
- 다른 사람과의 관계: 가족, 친구, 연인 등 다른 사람과의 관계에서 행복을 느낄 수 있다.
- 봉사활동: 다른 사람을 돕는 봉사활동을 통해 행복을 느낄 수 있다.

20. 내면의 잣대(마음의 줄자)

마음의 줄자는 자신을 다른 사람과 비교하는 기준으로 삼는 내면의 잣대이다. 외모, 성격, 능력, 가치관 등 다양한 측면에서 비교가 이루어질 수 있다. 마치 실제 줄자를 사용하여 길이를 측정하는 것처럼, 마음의 줄자는 자신과 타인의 우열을 판단하는 도구이다. 우리 모두는 보이지 않는 "마음의 줄자"를 가지고 산다. 이 줄자는 타인과 자신을 비교하는 기준이 되며, 키, 외모, 성격, 학력, 직업, 재산 등 다양한 측면에서 나타난다.

마음의 줄자는 어디서 오는 걸까? 궁금하다. 마음의 줄자는 첫째. 사회적 비교에서 온다. 우리는 태어나면서부터 주변 사람들과 비교한다. 부모, 형제, 친구, 선생님, 동료 등 다양한 사람들과의 비교는 자연스럽게 우리의 마음속에 줄자가 자생한다. 우리는 사회적 동물로서 주변 사람들과 자신을 비교하는 경향이 있다. 이는 사회 속에서 자신의 위치를 파악하고 적응하기 위한 자연스러운 과정이지만, 지나치게 비교에 집중하면 부정적인 영향을 미친다. 둘째, 낮은 자존감 결핍에서 온다. 자신의 가치에 대한 불확실성은 타인과의 비교를 통해 자신을 확인하려는 욕구를 키운다. 이는 마음의 줄자를 더욱 강화시키는 요인이다. 자신의 가치에 대한 믿음이 부족하면, 타인과의 비교를 통해 부족함을 채우려 하거나 자신을 더욱 비하하기도 한다. 셋째, 완벽주의에서 온다. 완벽주의 성향은 자신에게 높은 기준을 설정하고, 이를 충족하지 못하면 좌절감을 느낀다. 타인과의 비교를 통해 자신의 부족함을 더욱 부각시키기도 한다. 넷째. 부모나 주변의 영향에서 온다. 어린 시절 부모나 주변 사람들로부터 받은 비교 경험은 성인이 되어서도 마음의 줄자 형성에 영향을 미친다. 다섯째, 부정적 사고방식에서 온다. 타인의 장점만을 부각하고 자신의 단점만을 과장하게 만들어, 마음의 줄자를 더욱 왜곡시킨다.

마음의 줄자는 누구나 가지고 있다. 마음의 줄자는 어떻게 쓰느냐에 따라 인격과 성품의 격이 달라진다. 마음의 줄자는 나에게 어떤 영향을 미치는 걸까?. 마음의 줄자는 타인과의 비교를 통해 자신의 부족함에 집중하게 되면 자존감이 낮아지고, 타인보다 뒤쳐진다는 생각을 하게 되면 불안과 스트레스를 유발한다. 타인과의 경쟁, 시기와 질투심을 키워 사회적 관계에 악영향을 미칠 수도 있고, 끊임없는 비교는 만족감을 떨어뜨리고 행복을 방해하기도 한다. 이런 부작용으로 마음의 줄자를 없애거나 줄자의 길이를 줄여야 한다. 그러나 사람마다 다르지만 타고난 본성과 성격에 의해 내 마음대로 줄자를 없애거나 줄이기는 쉽지 않다. 그래도 내 마음의 줄자를 좋은 대만 쓸 수 있는 방법을 찾아보자. 시도해보자. 첫째, 자신만의 기준을 세운다. 타인과의 비교 대신 자신만의 기준을 세우고 이에 따라 발전하는 것이 중요하다. 작은 목표를 설정하고 이를 달성하는 과정에서 자신감을 키운다.

둘째, 자신의 강점을 찾는다. 자신의 강점과 장점에 집중하고 이를 긍정적으로 평가하는 것이 중요하다. 셋째, 다름을 인정해야 한다. 모든 사람은 서로 다르며, 비교 대상이 아님을 인지해야 한다. 넷째, 감사하는 마음이다. 현재 가진 것에 그리고 주는 것에 감사하는 마음을 갖지면 만족감을 높일수 있다. 다섯째, 목표를 설정하는 것이다. 타인과의 비교보다는 자신만의 목표를 설정하고 이를 향해 노력하는 것이 중요다. 여섯째, 전문가의 도움을 받는 것이다. 마음의 줄자로 인한 어려움이 심각한 경우 전문가의 도움을 받는 것도 좋다.

내 마음의 줄자를 부정적인 비교의 대상이 아닌 긍정적인 대상의 줄자로 활용할 수 있다. 마음의 줄자를 완전히 없애는 것은 쉽지 않다. 하지만 긍정적인 방향으로 활용한다면 성장의 발판으로 삼을 수 있다. 타인의 장점을 보고 자신의 목표를 설정하고 발전하려는 동기 부여하고, 타인과의 비교를 통해 자신의 부족함을 파악하고 개선하려는 노력한다. 자신보다 부족한 사람들을 보면서 현재 가진 것에 대한 감사하는 마음을 가지면 된다.

마음의 줄자는 우리 삶의 발목을 잡는 존재이다. 극복할 수 없는 것은 아니다.

마음의 줄자는 우리 삶에 긍정적인 영향과 부정적인 영향을 미칠 수 있다. 하지만, 부정적인 마음의 줄자를 없애거나 줄여주면 비교없이 자신만의 길을 개척할 수 있다. 중요한 것은 마음의 줄자에 사로잡히지 않고, 나 자신을 존중하며 긍정적인 방향으로 활용하는 것이다.

우리는 마음의 줄자로부터 자유롭지 않다. 마음의 줄자로 인한 부정적인 영향을 받고 이를 극복하려는 사례들을 살펴보자.

1. 작가 A는 다른 작가들의 작품과 자신의 작품을 비교하며 끊임없이 불안감을 느꼈다. 그러던 어느 날, 작가 A는 자신의 작품 스타일을 긍정적으로 평가해주는 독자들을 만났다. 독자들의 칭찬은 작가 A에게 자신감을 주었고, 마음의 줄자를 끊으려고 노력하고 있다.

2. 학생 B는 이웃집 아이와 비교하며 열등감을 느꼈다.

하지만 학생 B는 자신의 장점을 발견하고 이를 발전시키는 데 집중했다. 학생 B는 자신만의 목표를 설정하고 이를 향해 노력하며 마음의 줄자를 극복하려고 하고 있다.

3. 배우 C는 데뷔 초기부터 다른 배우들과 외모로 비교되었다. 이러한 비교는 배우 C에게 심각한 자존감 저하를 야기했고, 섭식 장애와 우울증으로 이어졌다. 배우 A는 이러한 어려움을 극복하기 위해 많은 노력을 기울였고, 지금은 건강한 자존감을 가지고 활발하게 활동하고 있다.

4. 가수 D는 뛰어난 음악적 재능으로 많은 사랑을 받고 있지만, 다른 가수들과 음악 성향을 비교하며 끊임없는 불안감을 느꼈다. 이러한 불안감은 가수 D의 창작 활동에 부정적인 영향을 미쳤다. 무대 공포증으로 이어졌다. 가수 D는 자신만의 음악 스타일을 확립하고, 팬들의 사랑에 집중하며 마음의 줄자를 극복하려 노력하고 있다.

5. 운동선수 E는 세계적인 대회에서 금메달을 획득한 경력이 있지만, 다른 선수들과 기록을 비교하며 만족하지 못한다고 있었다. 이러한 불만족은 운동선수 E에게 과도한 스트레스를 유발하고, 부상으로 이어졌다. 운동선수 E

는 현재 자신만의 목표를 설정하고, 꾸준한 노력을 통해 마음의 줄자를 극복하려고 노력하고 있다.

6. 예술가 F는 독창적인 작품으로 많은 명성을 얻었지만, 다른 예술가들의 작품과 비교하며 자신감을 잃었다. 이러한 불안감으로 예술가 D의 창작 활동에 위축감을 받아, 새로운 시도를 꺼렸다. 예술가 F는 자신만의 예술 세계를 구축하고, 긍정적인 평가에 집중하며 마음의 줄자를 극복하려 노력하고 있다.

7. 사업가 G는 성공적인 사업을 운영하고 있지만, 다른 사업가들의 성공 사례와 비교하며 끊임없이 부족함을 느낀다 이러한 부족함으로 사업가 G에게는 불안감과 스트레스가 많아지고, 잘못된 판단을 하는 경우가 많아졌다. 사업가 E는 현재 자신의 강점을 파악하고, 꾸준한 성장을 통해 마음의 줄자를 극복하려 노력하고 있다.

[출구 팁] 마음의 줄자는 끊는 방법

방법	설명	예시
나 를 사랑하	장점과 단점 모두 포함한 나 자신을	1.나는 나만의 장점과 단점을 가진 소중한 존재이다.

기	인정하고 사랑한다	2. 다른 사람들과 비교하기 보다 나만의 개성을 살리겠다.
감사하는 마음 가지기	자신이 가진 것에 감사하며 행복에 집중한다.	1. 매일 아침 감사 일기를 쓴다. 2. 작은 것에 대한 감사함을 표현한다.
목표 설정하기	타인과 비교하기 보다 나만의 목표를 설정하고 이를 향해 노력한다	1. 나만의 목표를 설정하고 이를 달성하기 위한 계획을 세운다 2. 목표를 향해 꾸준히 노력하며 자신감을 갖는다.
긍정적인 사고방식 유지하기	부정적인 생각에 사로잡히지 않고 긍정적인 사고방식을 유지한다.	1. 긍정적인 생각을 하는 습관을 기른다 2. 긍정적인 사람들과의 관계를 유지한다.
전문가 도움 받기	마음의 줄자로 인한 어려움이 심각하다면 전문가의 도움을 받는다.	1. 심리 상담을 받는다. 2. 지원 그룹에 참여한다.

21. 나는 외롭지 않다
(남자 혼자 사는 법과 여자 혼자 사는법)

최근 1인 가구 증가라는 새로운 변화를 맞이하고 있다. 혼자 사는 것이 더 편리하고 자유로운 삶을 제공한다는 인식이 확산되면서, 젊은 세대뿐 아니라 중장년층까지 혼자 사는 사람들이 늘어나고 있다. 하지만 혼자 사는 삶에는 외로움이라는 그림자가 함께 따라온다. 하지만 혼자 사는 것이 외롭다고 맹신할 필요는 없다. 혼자 사는 생활을 즐겁고 풍요롭게 채워나가는 사람도 많다. 외롭지 않게 혼자 사는 법을 배우기 위해 대표적인 사례를 살펴보자.

1. 프리다 칼로는 예술혼을 지킨 혼자만의 공간을 즐겼다. 멕시코의 여성 화가 프리다 칼로는 폴리오 후유증과 사고로 인한 신체적 고통 속에서도 혼자 살면서 예술에 헌신한 인물이다. 그녀는 혼자만의 공간에서 자신의 내면을 탐구하고 예술 작품으로 표현하며 삶의 의미를 찾았다.

프리다 칼로의 혼자 사는 법은 이렇다 첫째, 창의적인 활동이다. 그림, 글쓰기, 음악 연주 등 자신만의 창의적인 활동을 통해 삶의 의미와 즐거움을 찾았다. 둘째, 자연과의 교감이다. 혼자 산책을 하거나 정원을 가꾸면서 자연과 교감하며 마음의 안정을 찾았다. 셋째, 예술적 감각이다. 혼자 사는 공간을 자신만의 개성으로 꾸미면서 예술적 감각을 키웠다.

2. 헨리 데이비드 소로는 자연 속에서 삶의 지혜를 얻었다

미국의 작가이자 철학자인 헨리 데이비드 소로는 숲 속 오두막에서 2년 2개월 동안 혼자 생활하며 자연과 교감하고 자신의 내면을 탐구했다. 그의 저서 "월든"은 혼자 사는 삶의 지혜와 자연과의 조화로운 삶의 가치를 보여주었다.

헨리 데이비드 소로의 혼자 사는 법은 이렇다. 첫째, 독립적인 사고이다. 혼자 사는 시간을 통해 자신의 생각과 감정을 솔직하게 성찰하고 독립적인 사고방식을 키웠다. 둘째, 자연과의 교감이다. 숲 속 산책, 명상 등 자연과의 교감을 통해 마음의 평화와 힐링을 경험했다. 셋째, 간소한 삶이다. 물질적인 풍요보다 정신적인 풍요를 추구하며 간소하고 만족스러운 삶을 살았다.

3. 마리 퀴리는 과학에 헌신한 혼자만의 시간을 즐겼다.

폴란드 출신의 물리학자 마리 퀴리는 남편의 죽음 이후 홀로 두 아이를 키우면서 과학 연구에 몰두했다. 그녀는 혼자만의 시간을 통해 과학적 업적을 이루며 여성 과학자로서 길을 개척했다.

마리 퀴리의 혼자 사는 법은 이렇다. 첫째, 목표 설정이다. 혼자 사는 시간을 통해 자신만의 목표를 설정하고 이를 이루기 위한 계획을 세웠다. 둘째, 집중력 향상이다.

혼자만의 공간에서 방해 없이 집중하며 목표를 향해 나아 갔다. 셋째, 자기 계발이다. 독서, 강연 참석 등을 통해 끊임없이 자기 계발을 하고 새로운 지식을 쌓았다.

이들의 지혜를 통해 우리는 혼자 사는 삶이 외롭지 않을 수 있다는 것을 알 수 있다. 자연과 교감하고, 자신만의 공간을 확보하고, 새로운 사람들을 만나고, 예술 활동에 집중하고, 목표를 향해 노력하는 등 다양한 방법으로 외로움을 극복하고 혼자 사는 삶을 풍요롭게 만들 수 있다는 사실이다.

혼자 사는 삶을 즐겁고 풍요롭게 만드는 방법으로는 첫째, 가장 중요한 것은 혼자 사는 것에 대한 긍정적인 마음가짐이다. 혼자 사는 것은 새로운 시작이자, 자신을 위한 시간을 가질 수 있는 기회이다다. 긍정적인 마음으로 새로운 취미를 시작하거나, 새로운 사람들을 만나는 기회로 삼아야 한다. 둘째, 적극적인 사회 활동이다. 혼자 산다고 해서 사회와 단절될 필요는 없다. 동호회, 스터디그룹, 온라인 커뮤니티 등 다양한 활동을 통해 새로운 사람들을 만나고 소통할 수 있다. 셋째, 취미 생활이다. 취미 생활은 혼자 사는 시간을 즐겁게 채워줄 수 있는 좋은 방법이다. 독서, 음악 감상, 영화 감상, 운동 등 다양한 취미를 통해 스트레스를 해소하고 삶의 즐거움을 찾을 수 있다. 넷째, SNS 활용하는 것이다. 인터넷과 소셜 미디어는 혼자 사는 사람들에게 큰 도움이 된다. 페이스북, 트위터 등을 통해 비슷한 관심사를 가진 사람들과 소통하고, 다양한 정보를 얻을 수 있다. 다섯째, 자신에게 맞는 방법을 찾는 것이다. 외롭지 않게 혼자 사는 방법은 사람마다 다를 수 있다. 중요한 것은 자신에게 맞는 방법을 찾는 것다.

위의 방법들을 참고하여 자신에게 맞는 방법을 찾으려면 첫째, 나의 강점과 관심사을 파악하는 것이다. 내가 잘하는 것, 좋아하는 것을 파악하고 이를 활용할 수 있는 방법을 찾는다. 둘째, 새로운 경험에 도전한다. 새로운 취미를 시작하거나, 여행을 떠나는 등 새로운 경험을 통해 삶의 활력을 얻는다. 셋째, 목표를 설정한다. 혼자 사는 동안 이루고 싶은 목표를 설정하고 이를 이루기 위한 계획을 세운다. 넷째, 긍정적인 인간관계를 유지한다. 가족, 친구, 지인들과 꾸준히 연락하고 만나며 긍정적인 인간관계를 유지하는게 좋다.

[출구 팁1] 남녀 혼자 사는 삶을 풍요롭게 만드는 방법
1. 집 안 분위기 조성: 쾌적하고 아늑한 집 안 분위기를 조성하여 혼자 있을 때에도 편안하고 행복한 느낌을 유지할 수 있도록 한다.
2. 반려동물과 함께 살기: 반려동물과 함께 살면 외로움을 줄이고 정서적인 안정감을 얻을 수 있다.
3. 새로운 환경 적응: 새로운 환경에 적극적으로 적응하

고 새로운 사람들을 만나는 노력을 통해 삶의 활력을
유지한다.

4.자기 계발: 독서, 강연 참석 등을 통해 끊임없이 자기
계발을 하고 새로운 지식을 쌓는 것은 혼자 사는 삶을
더욱 풍요롭게 만든다.

[출구 팁2] 남자가 혼자 살때와 여자가 혼자 살때 고려사항

구분	남자	여자
안전	- 보안 시스템 설치 (CCTV, 경보기 등) - 낯선 사람 경계 - 늦은 밤 외출 자제	- 보안 시스템 설치 (CCTV, 경보기 등) - 낯선 사람 경계 - 늦은 밤 외출 자제 - 혼자 집에 남을 때 주변사람들에게 알리기
생활 습관	- 청소 및 정리 간편하게 (최소한의 정리 유지) - 식사 간단하게 해결 (배달, 간편식 등) - 빨래 쌓아두고 한 번에 처리	- 청소 및 정리 꾸준히 (쾌적한 환경 유지) - 식사 건강하게 (직접 요리 또는 균형 잡힌 배달) - 빨래 자주 돌리기
가전 제품	- 필수적인 가전제품만 갖추기(TV, 냉장고, 세탁기 등) - 최신 모델보다는	- 필수적인 가전제품 + 편의를 위한 가전제품 (청소기, 주방가전 등) - 디자인 및 기능성도

	실용성重視	고려
인테 리어	- 편안하고 실용적인 　공간(소파,침대,책상 　등) - 개인적인 취향 반영 　(게임, 운동 기구 등)	- 아늑하고 감각적인 　공간 (조명, 소품 등) - 감성적인 분위기 조성 　(꽃, 아로마 등)
외로움 해소	- 친구들과 자주 만나기 　(게임, 운동, 취미 　활동 등) - 온라인 게임,커뮤니티 　활동 - 반려동물 키우기	- 친구들과 만나기 　(카페, 쇼핑, 여행 등) - 온라인 커뮤니티, 　동호회 활동 - 반려동물 키우기
사회 생활	- 적극적인 사회활동 　(동호회, 스포츠 등) - 새로운 사람들 만나 　는 기회 적극 활용	- 적절한 사회활동 　(직장, 동창회 등) - 친밀한 관계 유지에 　집중
건강 관리	- 간편하게 해결하기 　(건강식품, 영양제 등) - 규칙적인 운동 　(헬스, 조깅 등)	- 건강한 식단 유지 　(직접요리,건강식섭취) - 규칙적인 운동 　(요가, 필라테스 등)
금융 관리	- 계획적인 소비 　(예산 설정, 저축 등) - 투자 및 자산 관리	- 계획적인 소비 　(예산 설정, 저축 등) - 미래를 위한 자산관리

2장

관계의 미로

: 함께 길을 만들다

22. 사람을 움직이는 가장 큰 힘[파워] (마음이다)

사람을 움직이는 가장 큰 힘은 마음이며, 마음을 움직이는 것은 내적 동기와 외적 동기이다. 사람을 움직이는 가장 큰 힘은 외부 보상이나 압박에 의한 외적 동기에서 발생하는가?, 아니면 내면의 흥미와 가치관에 기반한 내적 동기에서 발생하는가? 먼저, 두 동기에 대해 비교해 보자.

	외적 동기	내적 동기
정의	외부 보상, 인정, 압박 등에 의해 행동을 유발하는 동기이다	활동 자체의 즐거움, 만족감, 성취감, 가치관에 의해 행동을 유발하는 동기이다
지속성	외부 보상이 사라지면 동기가 감소할 가능성이 높다	내적 가치관에 기반하기 때문에 장기적인 지속 가능성이 높다
자발성	외부 요인에 의해 수동적으로 행동하게 된다	내면의 욕구에 따라 능동적으로 행동하게 된다
행동성	칭찬을 받기 위해 노력하기 / 높은 급여를 위해 일하기	배우는 재미를 느껴 공부하기 / 도움을 주는 자원봉사하기

상황에 따라, 사람에 따라 외적동기 또는 내적동기가 필

요하다. 동시에 두 개의 동기가 필요할때도 있다. 그렇다면 사람의 마음을 움직이는 가장 큰 힘은 어디에서 일어나는가? 외적동기나 내적동기나 사랑과 공감에서 일어난다.

사랑은 인간의 가장 근본적인 감정 중 하나이며, 타인과의 연결, 소속감, 친밀감을 느끼게 하는 강력한 힘을 가지고 있다. 사랑은 가족, 친구, 연인, 심지어 낯선 사람 사이에서도 나타날 수 있으며, 사람들의 행동과 선택에 큰 영향을 미친다. 이런 사랑의 힘과 영향이 생기는 곳은 어딜가? 인간은 사회적 동물이며, 다른 사람들과의 유대감을 통해 살아남고 번식하도록 진화했다. 이러한 본능은 사랑의 기반에서다. 어린 시절 부모로부터 받은 사랑과 보살핌은 아이의 성장과 발달에 큰 영향을 미치고, 긍정적인 인간관계와 경험은 사랑의 능력을 키우는 데 중요한 역할을 한다. 사랑은 개인의 가치관과 신념에 의해 형성된다. 어떤 사람들은 이타적인 사랑을 추구하고, 어떤 사람들은 조건부의 사랑을 추구한다. 사랑은 사람들이 목표를 달성하고, 어려움을 극복하고, 자신을 발전시키도록 촉진제이다. 사랑은 사람들 간의 유대감을 강화하고, 긍정적인 인간관계를 형성하는 데 기여하고, 사랑은 서로를 이해하고 용서하는 데 도움을 주며, 갈등을 해결하고 화해를 이끌어낸다. 사랑은 이타적인 행동을 촉진하고, 사회 문제 해결에 기여한다.

공감은 타인의 감정과 생각을 이해하고 공유하는 능력이다. 공감은 사람들 간의 소통을 촉진하고, 관계를 강화하며, 사회를 더욱 따뜻하게 만드는 데 중요한 역할을 한다. 이런 공감의 힘이 생기는 곳은 어딜가? 인간의 뇌에는 공감과 관련된 특정 영역이 존재하며, 이는 타인의 감정을 인식하고 이해하는 데 도움을 준다. 비슷한 경험을 한 사람들은 서로 공감하기 쉽다. 다른 사람들의 이야기를 경청하고 이해하려는 노력은 공감 능력을 향상시킬 수 있다. 문화적 배경에 따라 공감의 표현 방식은 다를 수 있다. 공감은 사람들 간의 신뢰와 유대감을 강화하고, 깊은 관계 형성에 기여한다. 공감은 서로의 입장을 이해하고 용서하는 데 도움을 주며, 갈등 해결에 긍정적인 영향을 미친다. 공감은 사회적 약자에 대한 이해와 관심을 증진시키고, 사회 문제 해결을 위한 동기를 부여한다.

사람의 마음을 움직이는 가장 큰 힘인 사랑과 공감은 서로 밀접하게 연결되어 있으며, 함께 작용할 때 더욱 강력한 힘을 발휘한다. 사랑과 공감은 사람들을 하나로 모으

고, 더 나은 세상을 만들기 위한 자생적인 동기를 부여한
다.

[출구 팁] 사랑과 공감을 실천하는 방법

. 무었이든 마음 먹기에 달려있다

. 타인에게 관심을 기울이고 마음으로 경청한다.

. 다름을 인정하고 서로의 입장을 이해하려 노력한다.

23. 내가 죽는다면 죽기 전에
(해야할 것가 하지 말아야 할 것)

죽음이 다가온다면, 남은 시간을 어떻게 의미있게 보낼까? 죽음은 누구에게나 찾아오는 피할 수 없는 운명이다. 하지만 죽음이 다가온다는 것을 알게 된다면, 누구나 남은 시간을 어떻게 의미있게 보내야 할지 고민한다. 당연히 나에게 소중한 것부터 한다. 소중한 것은 사랑, 여행, 배려, 도움, 친구, 명성, 식사 등등일 것이다. 주어진 한정된 시간과 공간, 남은 자원을 최대한 활용해야 하기 때문에 내게 가장 하고 싶었던 것을 우선 선택해야 한다.

하지만 죽음에는 우선순위가 없다. 암, 치명적인 바이러스 감염 등과 관련한 예상된 죽음의 병이 아닌 이상 나에게 언제 올지 모른다. 나이를 먹을수록 건강을 0순위로 정하지 않는가. 죽음은 본인뿐 아니라 가족, 친구, 동료 등 지인에게도 중요한 문제이다. 중요한 문제라는 의미는 자신의 삶에 주어진 한 번뿐인 소중한 인생을 인지하고 언젠가는 죽는다는 사실에 늘 감사하는 마음과 행동으로 하루하루의 행복한 삶을 살아가야 한다는 의미다.

누구나 자신은 오래 오래 살 것처럼 생각한다. 우리 주변

을 보면 패혈증, 심장마비, 교통사고, 자살, 신종인플루엔
자, 과로사, 돌연사 등으로 갑자기 죽는 사람이 많다. 죽
음 앞에서는 살려고 하는 사람이 더 많다는 사실을 인지
해야 한다. 우선순위를 정하여 집에서든, 직장에서든, 자
기계발을 위해서든 무엇이든 죽을 각오로 해야 성공하고
행복해진다고 하지만, 과연 이것이 죽을 각오로 할 만큼
내 삶과 인생에서 중요한 의미가 있는지를 먼저 생각해야
한다. 내가 다른 사람에게 무엇을 해 줄 수 있는가에 대
해서도 생각해야 한다.

우리는 죽음에서 예외가 없다. 죽음 다음에는 무엇이 있
는지는 아무도 모른다. 나는 지금 무엇을 하고 있는가?
이것이 내 삶에 있어서 최우선으로 해야 할 소중한 일인
가? 가치 있는 일인가? 행복한 일인가? 등을 되새김질을
할 것이다.

만약 내가 죽는다면, 남은 시간을 최대한 의미있게 보내
기 위한 대안을 몇가지 제시한다. 첫째, 소중한 사람들과
시간을 보내기다. 사랑하는 가족, 친구들과 함께 시간을
보내고, 그동안 못 다 한 말들을 나눈다. 함께 여행을 떠
나 추억을 만들거나, 그저 일상적인 대화를 나누며 소중
함을 느낀다. 둘째, 꿈과 목표를 이루는 것이다. 미루어왔

던 꿈과 목표들을 최대한 실현하려 노력한다. 새로운 기술을 배우거나, 하고 싶었던 일들을 시작해본다. 짧은 시간이더라도 후회 없이 도전해본다. 셋째, 다른 사람들을 돕는다. 남은 시간을 다른 사람들을 위해 봉사하고 도움을 준다. 기부를 하거나, 자원봉사활동을 통해 사회에 기여한다. 넷째, 삶을 돌아보고 감사하며 산다. 지금까지 살아온 삶을 돌아보고, 경험했던 모든 일들에 감사한다. 나에게 주어진 시간과 경험들이 만들어준 오늘의 나를 소중히 여기며 감사한다. 다섯째, 마지막 순간까지 삶을 즐긴다. 남은 시간을 최대한 즐겁게 보낸다. 좋아하는 것을 하고, 새로운 경험을 하고, 매 순간을 만끽한다. 후회 없이 삶을 마무리한다. 죽음은 두렵지만, 남은 시간을 의미있게 채워나간다면 마음의 평화를 찾을 수 있을 것이다.

[출구 팁1] 죽기전 삶의 흔적 남기기

- 자서전을 쓴다. 자신의 삶을 되돌아보고 경험과 생각을 기록한 자서전은 가족과 후손들에게 소중한 유산이 된다.
- 창작물을 한다. 글, 그림, 음악, 사진 등 자신이 직접

창작한 작품들은 자신의 개성과 감성을 담아 세상에 남길 수 있는 의미 있는 방법이다.

- 기록을 한다. 일기, 사진, 동영상, 음성 등을 직접 쓰고 촬영해도 되고 AI 기술을 통해 자신의 일상과 중요한 순간들을 영상으로 삶의 흔적을 남긴다.

-

[출구 팁2] 노인기 죽기 전에 자식에게 해서는 안 되는 것들

1. 부담과 스트레스를 주는 행동

- 과도한 의존: 자녀에게 모든 것을 의존하고, 끊임없이 도움을 요청하는 것은 자녀에게 큰 부담이 된다

- 감정적 강요 : 자녀에게 죄책감을 심어주거나, 의무감을 강요하여 자신의 뜻대로 행동하도록 하는 것은 자녀에게 큰 스트레스를 준다.

- 끊임없는 불만: 끊임없이 불평하고 불만을 토로하는 것은 자녀에게 부정적인 영향을 미치고 관계를 악화시킨다.

2. 자녀의 삶에 대한 간섭

- 개인적인 결정에 대한 간섭: 자녀의 결혼, 직업, 인생 선택 등에 대한 지나친 간섭은 자녀의 자존감을 떨어

뜨리고 관계를 악화시킨다.

- 비판과 평가: 자녀의 모든 행동을 비판하고 평가하는 것은 자녀에게 부정적인 영향을 미치고 자존감을 떨어뜨린다.

- 비교: 자녀를 다른 사람들과 비교하는 것은 자녀에게 열등감을 심어줄 수 있다.

3. 미안한 마음을 심어주는 행동

- 과거의 실수를 되뇌는 것: 과거의 실수를 끊임없이 되뇌는 것은 자녀에게 미안한 마음을 심어줄 수 있다.

- 자책감을 심어주는 것: 자녀에게 "내가 너 때문에 힘들었어", "내가 너에게 잘못했다" 등의 말을 하는 것은 자녀에게 자책감을 심어줄 수 있다.

- 사랑을 표현하지 않는 것: 자녀에게 사랑한다는 말을 하지 않거나, 애정을 표현하지 않는 것은 자녀에게 불안감을 심어줄 수 있다.

노인이 되어 죽기 전에 자녀에게는 최대한 사랑과 감사를 표현하고, 자녀의 삶을 존중하는 것이 중요하다. 노년기에는 자녀에게 부담과 스트레스를 주는 행동을 하지 않도록 노력해야 한다.

[출구 팁3] 노인기에 자녀에게 해주면 좋은 것들

- 사랑과 감사를 표현하기: 자녀에게 사랑한다는 말을 하고, 감사하는 마음을 표현하는 것이 좋다.
- 자녀의 삶을 존중하기: 자녀의 결정과 선택을 존중하고, 지지해주는 것이 중요하다
- 긍정적인 영향을 주기: 긍정적인 태도를 유지하고, 자녀에게 힘이 되어주는 것이 중요하다.
- 좋은 추억 만들기: 자녀와 함께 좋은 추억을 만들고, 행복한 시간을 보내는 것이 중요하다.

24. 상대방에게 기쁨을 주다('때문에'에서 '덕분에'로)

'때문에'는 일의 원인과 그 까닭이다. 다른 것에서 원인과 까닭을 찾는 것이 때문이다. 그러다 보니 모든 책임과 결과는 내가 아닌 다른 것 또는 다른 사람에게로 넘어간다. '때문에'는 외부에서 그 원인과 까닭을 찾지만 어떻게 쓰느냐에 따라 그 의미는 달라진다. '때문에'는 똑같은 단어이지만 '때문에'는 부정적 의미의 '때문에'와 긍정적 의미의 '때문에'가 있다.

부정적 의미의 '때문에'를 예로 들면, '너 '때문에' 되는 일이 없어, 나 돈 '때문에' 미치겠어, 사랑 '때문에' 난 어쩔 수 없어, 난 여드름 '때문에' 보기 흉해 죽겠어, 난 허리통증 '때문에' 서 있을 수 없어, 난 모발 이식비용 '때문에' 이식수술을 하지 못하고 있어, 난 숙제 '때문에' 놀지 못해, 렌즈 '때문에' 내 눈이 충혈 되었어, 요새 기후변화 '때문에' 폭우, 폭설이 너무 잦아, 난 독감 '때문에' 5일간 엄청 고생했어, 유흥비 '때문에' 나 사고 쳤어, 어제 술 '때문에' 나 큰 실수했어, 이놈의 정 '때문에' 친구 믿고 대출보증을 섰어, 난 2년간 게임중독 '때문에' 돈과 건강을 잃었어, 난 병 '때문에' 일을 할 수 없어, 이놈의 휴대폰 스팸 '때문에' 귀찮아, 우리 딸은 아토피

'때문에' 고생하고 있어, 난 다이어트 '때문에' 음식조절을 잘 하지 못하고 있어, 공주병 '때문에' 나만 예뻐 해주는 것 같아, 이건 다 누나 '때문이'야, 그 놈 '때문에' 정말 제수 없어, 나 너무 바쁘기 '때문에' 못갈 것 같아' 등등의 '때문에'는 부정적 의미를 포함한다. 그 원인과 까닭은 외부에서 찾고 부정적인 결과도 외부의 탓으로 넘긴다.

긍정적 의미의 '때문에'를 예로 들면, '당신이 날 사랑하기 '때문에' 나도 당신을 더욱더 사랑해, 당신의 도움이 있었기 '때문에' 내가 성공할 수 있어서, 네가 웃기 '때문에' 나도 기분이 좋아. 너의 열정 '때문에' 일하는 분위기가 살아. 어울리는 색 '때문에' 느낌이 좋아, 네 유머 '때문에' 배꼽 잡고 웃었어, 너는 옷을 깨끗하게 단정하게 입고 다니기 '때문에' 신사다워, 맛있는 닭갈비 '때문에' 당신과 함께 먹고 싶은 생각이 나, 너의 협상력 '때문에' 잘 마무리 되었어, 당신의 배려 '때문에' 먼저 할 수 있어 고마워, 입버릇처럼 날 칭찬하기 '때문에' 난 행복해, 나를 이해해 주는 친구가 있기 '때문에' 난 누구보다도 행복해, 긍정적인 말 한마디 '때문에' 내 마음은 따뜻해, 리더의 칭찬 '때문에' 내가 변했어, 내 삶의 목표가 구체적이기 '때문에' 난 살맛나, 긍정적인 생각 '

때문에' 난 긍정적인 행동을 해' 등등의 ' 때문에'는 긍정적 의미를 포함하고도 있다. 그 원인과 까닭은 외부에서 찾고 긍정적인 결과도 외부의 탓으로 돌린다.

'때문에'라는 단어는 같지만 그 의미는 엄연히 다르다. 부정적인 의미의 ' 때문에'는 나뿐만 아니라 상대방 마음의 문을 열 가능성이 낮다. 반면 긍정적인 의미의 ' 때문에'는 나뿐만 아니라 상대방 마음의 문을 열 가능성이 높다. 그렇기 때문에 ' 때문에'는 부정적인 의미의 ' 때문에'가 아닌 긍정적인 의미의 ' 때문에'를 사용해야만 하는 이유이자 까닭이다. 부정적 의미의 ' 때문에'는 외부에서 그 원인과 까닭을 찾지만 긍정적 의미의 ' 때문에'는 내·외부에서 그 원인과 까닭을 찾는다. ' 때문에' 원인과 까닭은 자기 자신에서 찾는 것이 좋다. ' 때문에'를 긍정적인 말로 사용하느냐 부정적인 말로 사용하느냐에 따라 마음의 안정과 생각 에너지에 영향을 미치기 때문이다. 긍정적인 의미의 ' 때문에'는 나를 치유해준다. ' 때문에'는 남 ' 때문에'가 아니라 나 ' 때문에'로 그렇게 되었구나! 또는 고마워! 당신 '덕분에' 나를 다시 발견했어! 라고 생각하고 실천하는 것이 더 좋다. ' 때문에'에서 '덕분에'로 라는 말을 사용하면 사용할수록 관계는 더 좋아진다. 당신 '덕분에'는 상대방에게 기쁨의 선물을 주는 단어이다.

이 "때문에"와 "덕분에"는 비슷한 의미를 가진 듯하지만 미묘한 차이가 있음을 알 수 있다. 그럼 "때문에 vs 덕분에"의 말이 주는 미묘한 차이가 어떤 결과를 가져오는지를 비교해 보자.

(상황) 친구가 늦게까지 도와줘서 프로젝트를 성공적으로 마칠 수 있었다.

(때문에)

- 문장: 너 때문에 밤새도록 일해야 했어.
- 느낌: 불만족, 원망
- 효과: 관계 악화, 상대방의 기분 나쁘게 함

(덕분에)

- 문장: 너 덕분에 프로젝트를 성공적으로 마칠 수 있었어. 정말 고마워!
- 느낌: 감사, 행복
- 효과: 관계 개선, 상대방의 기분 좋게 함

이렇듯 덕분에의 효과는 크다. "덕분에"는 어떤 상황이 좋은 결과를 가져왔는지에 초점을 맞추어 상대방에게 감사하는 마음을 표현하고, "덕분에"는 상대방의 노력이나 기여를 인정하고 감사함으로써 서로간의 관계를 더욱 긍정적으로 만들어준다. "덕분에"라는 말은 상대방의 자존감을 높여주고, 더욱 긍정적인 관계를 유지하는 데 도움이 된다.

"덕분에"는 일상에 마법을 부여해 준다. "덕분에"는 단순한 표현을 넘어서 서로간의 관계를 더욱 따뜻하고 긍정적으로 만들어주는 마법과 같다. 일상생활에서 "때문에"보다는 "덕분에"라는 말로 감사의 의사를 표현해 보자

[출구 팁] "덕분에" 사용법

- 진심 어린 감사와 칭찬의 마음으로 사용한다.
- 상대방의 기여에 구체적으로 언급하여 감사를 표현한다.
- 일상생활 속에서 자연스럽게 "덕분에"를 사용하는 습관을 기른다.

"덕분에"는 나와 당신과의 관계를 더욱 아름답게 만들어주는 특별한 단어이다.

25. 사랑의 3단계 중 나는 지금 어디에 있나
(사랑 위치 찾기)

심리학자들은 누군가 마음에 들어 좋아하는데 걸리는 시간은 90초에서 4분 사이에 결정된다고 한다. 또한 연구자들은 55%는 비언어$^{(바디 랭규지)}$를 통해, 38%는 상대방의 목소리와 음운을 통해, 단지 7%만 언어를 통해 결정된다고 한다. 헬렌 피서$^{(Helen\ Fisher)}$는 사랑의 3단계를 제안했다. 사랑의 3단계는 관능적인 욕구$^{(Lust)}$, 매력$^{(Attraction)}$, 애착$^{(Attachment)}$이다. 각 단계는 다른 호르몬과 화학 물질에 의해 생성된다.

사랑의 1단계는 관능적인 욕구$^{(Lust)}$다

이것이 사랑의 첫 단계다. 성적호르몬인 남성의 테스토스테론$^{(testosterone)}$과 여성의 오에스트로겐$^{(oestrogen)}$에 의해 만들어진다. 특징은 상대방에 대한 강렬한 매력과 끌림을 느끼는 단계이다. 외모, 몸매, 목소리 등에 흥미를 느끼고, 상대방과 함께 있고 싶어하며, 끊임없이 생각하게 된다.

사랑의 2단계는 매력$^{(Attraction)}$이다

이 단계는 사랑의 포로가 된 때다. 이 단계에서는 신경전달물질이 포함되어 있기 때문이다. 즉 아드레날린$^{(adrenaline)}$, 도파민$^{(dopamine)}$ 그리고 세로토닌$^{(serotonin)}$있다. 아드레날린

(adrenaline)은 누군가에게 사랑에 빠지는 첫 단계로 아드레날린과 코르티솔(cortisol)의 혈압수준을 증가시켜 준다. 당신은 예상하지 않던 새로운 사랑에 빠져 땀을 흘리기 시작하고 당신의 마음은 뛰고 당신의 입은 마르기 시작한다. 특징은 상대방에 대한 깊은 감정과 애착을 느끼는 단계이다. 상대방의 성격, 가치관, 사고방식 등을 이해하고 존중하며, 함께 시간을 보내면서 친밀감을 느낀다.

헬랜 피서는 커플의 뇌를 시험한 결과, 새로운 '사랑의 포로(love struck)'에 빠지면 신경전달물진인 도파민(dopamine)의 수준이 높게 올라간다고 했다. 기쁨의 긴장을 당겨 욕구와 보상이라는 화학물질을 자극한다. 이것은 코카인을 먹은 것과 같은 효과를 준다. 피서는 커플들은 종종 격동하는 도파민의 신호를 종종 보인다고 했다.

예를 들면, 에너지가 증가하고, 수면과 음식은 감소하고, 새로운 상호관계의 세심함 부분까지 깊은 관심과 기쁨을 느끼는 효과를 보인다고 한다. 사랑의 가장 중요한 화학물질 중 하나가 세로토닌(serotonin)이다. 세로토닌은 당신이 사랑에 빠졌을 때, 왜 빠졌는지를 설명해준다

사랑의 3단계는 애착(Attachment)이다.

애착은 커플을 유지하는 맺음이다. 커플은 자녀를 낳고 양육하기에 충분한 시간과 상호노력이 필요하다. 특징은

상대방에 대한 깊은 신뢰와 안정감을 느끼는 단계이다. 장기적인 관계를 염두에 두고, 함께 미래를 계획하며, 서로에게 헌신한다.

과학자들은 애착의 느낌에는 옥시토신과 바소프레신이라는 두 가지의 호르몬이 있다.옥시토신^(oxytocin=포옹 호르몬)은 남성과 여성에 의해 방출되는 강력한 호르몬이다. 남성과 여성은 섹스를 한 후 두 사람에 대한 느낌이 훨씬 더 가까워지고 애착의 감정은 더 깊어진다. 이론에 의하면 커플의 섹스는 그들의 유대를 더 깊게 한다고 했다. 또한 옥시토신은 엄마와 자녀와의 유대관계를 더욱 강하게 해준다.

바소프레신^(vasopressin=항이뇨호르몬)은 장기간 헌신단계에 있어서 또 다른 중요한 호르몬이며 섹스 후 방출한다. 바소프레신은 열망을 통제하는 신장에서 작동한다. 마지막으로 사랑에 빠지는 방법을 알려줬다. '첫째, 전혀 모르는 사람을 만나라! 둘째, 당신의 삶에 관하여 30분 동안 서로 친밀하게 그리고 상세히 말하라! 셋째, 그런 다음 4분 동안 말없이 서로의 눈을 깊이 응시하라!'고 했다.

내 사랑은 사랑의 3단계 중 어느 단계, 어느 영역에 있느냐를 알아야 한다. 사랑의 우선순위는 사랑하는 상대방이 내 사랑의 영역에 얼마나 넓고 깊게 점유하고 있느냐의 유무와 나에 대한 상대방 사랑의 영역에 내가 얼마나 점유하고 있느냐에 따라 사랑의 공감 범위와 유지기간이 달라진다. 사랑의 영역에서 멀어지면 사랑도 연기처럼 사라진다.

사랑은 둘이서 사랑하는 사람을 0순위로 생각하고 서로의 영역을 공유하고 유지하면 사랑은 더 깊어지고 행복은 더 오래간다고 믿는다. 사랑의 0순위 영역에 계속 있고 싶으면 얼마나 사랑하는가도 중요하지만 사랑하는 사람과 얼마나 갈등을 잘 해결하는가에 대한 것이 더 중요하다는 사실을 알고 있었으면 좋다.

[출구 팁1] 사랑의 3단계중 지금 나는 어디에 와 있을가?
　　　　확인하는 방법

1. 사랑의 1단계 : 관능적 욕구(Lust)

· 상대방을 끊임없이 생각하고 궁금해진다.

· 상대방과 함께 있을 때 행복하고 설레는 감정을 느낀다.

· 상대방에게 육체적인 끌림을 느낀다.

2. 사랑의 2단계 : 끌림 (Attraction)

· 상대방과 함께 편안하고 행복한 시간을 보낸다

- 상대방과 솔직하고 진솔한 대화를 나눌 수 있다.
- 상대방의 어려움을 돕고 싶고, 상대방을 위해 희생할 수 있다.

3. 사랑의 3단계 : 애착 (Attachment)

- 상대방과 함께 안정적이고 편안한 관계를 유지한다
- 상대방과 함께 미래를 계획한다
- 상대방에게 깊은 신뢰와 의존감을 느낀다.

[출구 팁2] 사랑하는 방법

- 상대방을 존중하고 배려하는 마음: 상대방의 생각과 감정을 존중하고, 항상 배려하는 마음을 가지는 것이 중요하다
- 솔직하고 진솔한 소통: 상대방에게 자신의 생각과 감정을 솔직하고 진솔하게 표현하는 것이 중요하다.
- 서로를 위해 노력하는 자세: 관계를 유지하기 위해 서로 노력하고 헌신하는 자세가 필요하다.
- 갈등을 해결하는 능력: 관계에서 발생하는 갈등을 건강하게 해결하는 능력이 중요하다.

모든 사람이 정확히 사랑의 3단계를 거치는 것은 아니다, 개인마다 경험하는 방식과 시간이 다르기 때문이다. 사랑은 단순히 감정만을 느끼는 것이 아니라, 행동을 통해 표현하고 노력해야 한다. 사랑은 배우고 노력하는 과정에서 싹튼다..

26. 물질적 부유는 잠시뿐이다
(마음과 정신의 부유함에 있다)

인간은 태어날 때부터 끊임없이 행복을 추구한다. 그 행복의 기준은 사람마다 다르지만, 일반적으로 물질적인 풍요로움을 통해 행복을 얻을 수 있다고 생각하는 사람들이 많다. 하지만 과연 물질적인 부가 진정한 행복을 가져다줄까?

물질적인 부보다 마음과 정신의 부유함이 훨씬 더 중요하다. 물질적인 부는 죽으면 내 것이 아니고 덧없다. 이는 살아있을 때 잠시뿐인 기쁨을 줄 수 있지만, 마음과 정신의 부는 본인과 후손에게 지속적인 행복과 만족감을 가져다 주기 때문이다.

물질적인 부를 가지고 있으나 늘 마음이 불안하고 기분이 좋지 않은 상태로 사는 것보다는 물질적인 부는 부족하더라도 행복과 사랑으로 사는 것이 낫다는 옛말이 있다. 물질적 부를 상징하는 돈이 많으면 편하게 살 수 있다는 것은 사실이다. 예를 들면, 재산세 등 각종 세금고지서, 정수기 렌탈비, 가스요금, 전기요금, 수도요금, 신문구독료 등 걱정할 필요가 없다. 방과 거실 청소는 청소아줌마가

해주고 그냥 편안하게 TV나 영화를 보면서 쉬던지 자면 되고 경제적인 면에서는 부가 좋다. 그러나 문제는 돈보다는 가치다. 물질적인 풍요를 느끼는 것으로 다른 사람과 가치를 비교해서는 안 된다. 사람은 누구나 다른 가치를 가지고 태어났기 때문이다. 사람은 다른 가치를 가지고 있음에도 돈 때문에 마음에 내키지 않는 일을 해야 하는 경우가 많다. 물질적 풍요를 가진 사람이 나보다 더 똑똑하고 사회적으로 중요한 위치에 있는 사람으로 단정하여서는 안 된다. 난 물질적 풍요는 아니더라도 경제적인 생활을 하는 데 약간의 불편이 있을 뿐이다.

부유한 것은 그릇된 것이 아니다. 물질적으로 부유하지는 않지만 내 마음과 정신은 물질적 풍요보다 더 건강하면 된다는 것이다. 이게 마음과 정신의 부유함이다. 물질적 풍요보다 내 마음과 정신의 부유함이 어디에 있는지 나 스스로 찾아보자.

물질적인 부보다 마음과 정신의 부유함을 가진 대표적인 인물로는 마하트마 간디가 있다. 인도의 독립운동 지도자였던 간디는 물질적인 욕망을 버리고 정신적인 수양에 집중했다. 그는 소박한 삶을 살면서도 강력한 리더십으로 인도를 독립으로 이끌었다. 테레사 수녀도 가난하고 병든 사람들을 돌보는 데 평생을 바쳤다. 테레사 수녀는 물질적인 풍요로움보다는 사랑과 헌신의 삶을 살았다. 마음과 정신의 부유함은 간디와 테레사처럼 내면에 존재하는 가치에서 찾아라. 외부에서 찾기보다는 스스로 발견하고 키워나가야 한다.

[출구 팁] 나의 마음과 정신의 부유함을 찾는 방법

1. 자기 성찰

- 가치관 확립 : 당신에게 중요한 가치는 무엇인가요? 삶에서 가장 중요하게 생각하는 것은 무엇인가요? 자신의 가치관을 확립하고 그에 따라 삶을 살아가는 것은 마음과 정신의 부를 키우는 첫걸음이다.

- 감사하는 마음: 지금 당신이 가진 것들에 감사하는 마음을 가져라. 건강한 몸, 사랑하는 사람들, 삶의 기회 등 당연하게 여기고 있던 것들에 감사하는 마음은 풍요로운 마음을 만드는 데 도움이 된다.

- 자기 수용: 자신의 장점과 단점을 있는 그대로 받아들여라. 자신을 사랑하고 존중하는 마음은 내면의 성장과 발전에 필수적이다.

2. 새로운 경험

- 새로운 취미: 새로운 취미를 배우는 것은 당신의 삶에 활력을 불어넣고 새로운 지식과 경험을 제공하라.
- 여행: 새로운 곳을 여행하는 것은 당신의 시야를 넓히고 다양한 문화를 경험할 수 있는 기회이다.
- 봉사활동: 다른 사람들을 돕는 봉사활동은 당신에게 큰 보람과 만족감을 준다.

3. 인간관계

- 긍정적인 사람들과의 관계: 긍정적인 에너지를 가진 사람들과 함께 시간을 보내라. 긍정적인 사람들과의 관계는 당신의 마음에도 좋은 영향을 미친다.
- 깊은 대화: 진솔하고 깊은 대화는 서로를 이해하고 성장하는 데 도움이 된다.
- 사랑과 헌신: 가족, 친구, 연인 등 당신을 사랑하고 아끼는 사람들과의 관계를 소중히 가진다

4. 지속적인 학습

- 독서: 좋은 책을 읽는 것은 당신의 지식과 사고력을 향상시킬 수 있다.
- 새로운 기술 배우기: 새로운 기술을 배우는 것은 당신

의 삶에 새로운 가능성을 열어준다.

- 문제 해결 능력 향상: 어려움에 직면했을 때 해결책을 찾는 과정은 당신의 정신력을 강화한다.

재물이 아무리 많아도 삶을 즐기지 못하면 웰빙(well being)이라고 할 수 없다. 마음과 정신의 부유함은 하루아침에 얻을 수 있는 것이 아니다. 꾸준한 노력과 실천을 통해 당신의 내면을 가꾸어 나가야 한다. 위의 방법들을 참고하여 당신만의 방법으로 즐거운 마음과 정신의 부를 찾아보아라.

27. 과거와 미래의 연결다리(최고의 선물은 현재다)

과거는 이미 흘러갔고 미래는 아직 오지 않는다. 우리가 가진 것은 오직 현재뿐이다." 이는 석가모니 부처님의 가르침 중 하나이지만, 단순한 종교적 교리에 그치는 것이 아니다. 현재의 소중함을 일깨워주는 삶의 지혜이기 때문이다.

우리는 종종 과거의 후회나 미래에 대한 불안에 사로잡힌다. 놓쳤던 기회, 저지른 실수, 다가올 어려움과 불확실성에 대한 걱정은 우리의 마음을 짓누르고 현재에 집중하는 것을 방해한다. 하지만 과거는 이미 변할 수 없고 미래는 아직 우리 손에 쥐어지지 않았다. 우리가 실제로 영향을 미칠 수 있는 것은 오직 현재 이 순간뿐이다.

현재에 집중할 때 우리는 주변 세상에 대한 깨달음을 얻게 된다. 눈앞에 펼쳐진 아름다운 자연, 사랑하는 사람들의 따뜻한 미소, 일상 속 작은 행복들을 발견하게 된다. 또한 현재에 집중할 때 우리는 자신과 진정으로 연결될 수 있다. 숨결과 감각, 마음속에 일어나는 생각과 감정을 주시하며 내면의 목소리에 귀 기울일 수 있다.

현재에 집중하는 것은 쉬운 일이 아니다. 끊임없이 흘러가는 정보와 변화하는 환경 속에서 우리의 마음은 쉽게 산만해진다. 하지만 꾸준한 노력을 통해 현재에 집중하는 능력을 키울 수 있다. 명상, 요가, 심호흡과 같은 활동은 현재에 집중하는 데 도움이 된다. 또한 일상생활 속에서도 작은 것들에 감사하며, 주변에 주의를 기울이고, 마음을 다해 현재의 순간을 살아가려는 노력이 필요하다.

현재는 과거와 미래를 연결하는 다리와 같다. 과거의 경험을 바탕으로 현재를 살아가고, 현재의 선택은 미래를 결정한다. 현재에 집중할 때 우리는 과거의 후회에 얽매이거나 미래에 대한 불안에 휩쓸리지 않고, 의미 있고 후회 없는 삶을 살아갈 수 있다.

후회는 현재 지금 이 순간에 한다. 과거에 하는 것도 미래에 하는 것도 아니다. 늘 현재에 한다. 후회한다는 것은 내가 하고 싶은 것을 하지 못하였을 때, 내가 하기는 했는데 목적을 이루지 못했을 때, 기대했을 내 꿈과 거리가 멀어졌을 때, 내 뜻대로 행복한 삶을 살았다고 할 수 없을 때, 내가 원하지 않는 일을 과감히 버리지 못했을 때, 내가 다른 사람의 마음을 아프게 했을 때, 친구와 함께한 시간이 부족할 때, 부모에게 효도하지 못하였을 때 등

등 하고자 했던 것을 하지 못하고 남아있는 현재의 상태에 있다. 현재 후회하지 않고 산다는 것은 내가 하고 싶은 것을 할 때, 하고 싶은 것 그 이상으로 할 때다. 지나간 과거는 되돌아오지 않고 미래는 언제까지인지를 모른다. 나는 지금 살아 있다. 과거도 미래도 아닌 현재에 살아 있다. 현재는 내 삶의 최고의 선물이다.

스펜서 존슨(Spencer Johnson)의 선물(The Present) 중에 현재 이 순간이 얼마나 소중한지를 강조한말이 있다.

세상에서 가장 소중한 선물은 과거도 아니고 미래도 아니다.

세상에서 가장 소중한 선물은 바로 현재의 순간이다.

세상에서 가장 소중한 선물은 바로 지금이다.

소중한 현재 이 순간 '난 무엇을 하고 있나, 어떻게 보내고 있나. 하루하루 현재를 아깝게 보내고 있지는 않나.'를 생각하자. 우리는 늘 부부간의 대화, 친구간의 대화, 직장 상사와의 대화, 애인과의 대화 등 주로 과거에 있었던 일이나 미래에 대한 기대 등에 대화시간을 소비한다. 그렇다고 과거의 것이나 미래의 것에 관심을 두는 것 자체가 나쁘다는 의미는 아니다. 현재가 없으면 미래가 없기 때문에 현재 하고 싶은 것에 시간과 관심을 두어야 한다는 의미다. 과거와 미래에 대한 대화는 많으나 있는 그대로 의 현재에 관한 대화는 거의 없다. 현재에 대한 대화는 나 자신과 할 수도 있고 같이 있는 다른 사람과 할 수도 있다. 문제는 현재 하고 싶은 것을 같이 하자고 대화를 하거나 현재 혼자 하고픈 것을 하자는 생각을 하지 않는 데 있다.

과거는 현재를 위한 도움키이고 현재는 미래를 위한 방향 키이다. 우리의 삶에서 현재는 매우 소중하다. 현재 하고 싶은 것을 하고 배우고 싶은 것을 배우는 것이 중요하다. 현재는 행복한 선물이다. 현재는 없어서는 안 될 소중한 내 최고의 선물이다. 물질적인 선물은 주고받을 수 있으 나 나에게 주어진 현재라는 선물은 서로 주고받을 수 없 다.

내가 가지고 있는 현재는 어디에 있나?. 대화를 하다보면 아쉬웠던 일, 후회하는 사건, 친구와 즐거웠던 일, 남을 흉보거나 상사를 욕하는 말, 고향의 그리움, 그때 그 시절 에 있었던 사건과 사고 등 지나간 과거의 시간에 매달리 거나 내가 돈을 벌면, CEO가 되면, 여자가 생겼으면 등 등 아직 오지도 않은 미래를 끌어오거나 미래에 대한 막 연한 기대로 현재의 시간을 소비하는 것이다. 이들은 현 재시간과는 동떨어진 과거시간과 미래시간을 앞당겨 소비한다. 이런 삶은 행복한 삶이라고 하기 어렵다. 행복한 시간이란 현재 이 순간 자기가 하고 싶은 것을 하는 즐거움에서 찾아야 한다. 과거에서 현재로, 현재에서 미래로 가는 연결시간은 현재다. 현재가 없으면 과거도 미래도 없다. 과거는 되돌아갈 수 없기 때문에 권력, 명예, 돈도 필요 없다. 미래는 오지 않기 때문에 누구도 통제하거나 좌지우지할 수 없다. 과거는 변하지 않다. 미래는 불확실하다. 현재는 언제든지 변화할 수 있다. 현재는 미래의 방향키다. 현재 이 순간의 소중함과 이 순간해야 할 것을 알고 실천하면 미래는 내가 가고자 하는 행복의 방향이 될 것이다. 시간은 누구에게 맡기 것이 아니다. 현재 시간은 내 생에 최고의 선물이기 때문이다

가장 소중한 일상생활에서의 선물은 현재 이 순간이다. 현재 이 순간은 나만의 시간이다. 내가 존재하기 때문이다. 나만의 시간은 나만을 위한 시간으로 사용할 수도 있고 현재 이 순간 같이 있는 사람과 함께 사용할 수도 있다. 중요한 것은 현재 이 순간을 사용할 수 있어야 한다는 것이다. 관심을 가지고 지금 이 순간 이 소중한 시간에 무엇을 하고 살 것인가를 먼저 생각해야 한다. 현재이 순간에 내가 하고 싶은 것을 하고, 먹고 싶은 것을 먹고, 보고 싶은 것을 보며 살자.

"최고의 선물은 현재"라는 말은 단순한 문구가 아닌, 우리 일상의 삶 방향을 제시하는 중요한 철학이다. 과거에 대한 아쉬움이나 미래에 대한 불안에 휩싸여 현재를 놓치는 경우가 많지만, 진정한 행복과 성장은 현재에 집중할 때 비로소 가능하다. 왜 현재가 중요한지 되새겨보자. 현재는 우리가 유일하게 직접 경험하고 변화시킬 수 있는 시간이다. 과거는 이미 흘러갔고, 미래는 아직 오지 않았다. 현재에 집중하지 않으면 삶의 주도권을 놓치고, 후회와 불안에 사로잡히게 된다. 현재에 집중하면 주변에 대한 감사함과 즐거움을 느낄 수 있다. 작은 것들에 감사하고, 주변의 아름다움을 발견하며, 일상의 소중함을 느끼는 것은 현재에 집중할 때 가능한 경험이다. 현재에 집중하면 목표를 향해 나아가는 데 도움이 된다. 미래에 대한 막연한 불안보다는 현재의 목표에 집중하면 구체적인 계획을 세우고 실행할 수 있다. 그래서 현재가 중요하다는 의미다. 현재에 집중하는 삶은 과거의 아픔에 갇히거나 미래의 불안에 휩싸이는 삶과는 대조적이다. 현재에 집중할 때 우리는 진정한 행복을 느끼고, 목표를 향해 나아가며, 성장하는 삶을 살 수 있다. 현재는 최고의 선물이며, 우리가

가진 유일한 순간이다. 지금 이 순간에 집중하여 삶을 만
끽하자.

[출구 팁] 현재에 집중하기 위한 방법
- 마음챙김 연습 : 호흡에 집중하거나 명상을 통해 현재
  에 집중하는 연습을 한다
- 감사 일기 쓰기: 매일 감사했던 일을 적으며 현재의
  긍정적인 측면에 집중한다
- 취미 활동: 좋아하는 활동에 집중하며 현재에 몰입한
  다.
- 자연과 함께 시간 보내기: 자연 속에서 시간을 보내며
  마음을 편안하게 하고 현재에 집중한다.

28. 움직여야 산다(삶은 진행형이다)

"삶은 진행형이다"라는 말은 흔하게 접하지만, 그 진정한 의미를 생각해본 적은 얼마나 될까? 삶은 정해진 궤도를 따라가는 것이 아니라, 우리의 선택과 행동에 따라 끊임없이 변화하고 진화하는 과정이다.

삶은 고정된 목적지가 있는 여정이 아니다. 우리는 끊임없이 변화하고 성장하며, 경험을 통해 새로운 자신을 발견해 나간다. 삶의 진행형은 이러한 변화와 성장을 포용하는 개념으로, 미래를 향한 열린 자세와 끊임없는 도전을 의미하기도 한다.

삶은 정해진 목적지를 향해 달려가는 일회성 여정이 아니다. 예상치 못한 사건, 선택, 만남들이 끊임없이 밀려오는 거친 파도와 같다. 우리는 그 파도 속에서 방향을 잡고 나아가야 한다. 때로는 거친 물결에 휩쓸리기도 하고, 때로는 고요한 정적 속에서 길을 잃기도 한다. 하지만 멈추지 않고 움직이는 순간, 우리는 삶이라는 거대한 캔버스에 자신만의 색채를 더해 나아갈 수 있다.

'완벽한 삶'이라는 틀에 갇혀 움직임을 두려워하지 마라.

틀에 맞추려 애쓰는 순간, 우리는 삶의 진정한 아름다움을 놓치게 된다. 실패를 두려워하지 말고, 새로운 도전을 통해 자신만의 길을 개척하라. 넘어져도 다시 일어서서 걸어가는 과정에서 우리는 더욱 강해지고 성숙해진다.

현재에 안주하지 말고, 미래를 향해 나아가는 용기를 가져라. 변화를 두려워하지 말고, 새로운 가능성을 열어나가라. 끊임없이 배우고 성장하는 자세가 우리 삶을 더욱 풍요롭고 의미있게 만들어줄 것이다.

우리의 삶과 사랑은 과거를 회상하는 사랑, 미래를 기대하는 사랑보다는 지금 이 순간 현재 진행형이 가장 아름다운 사랑이자 우리 모두의 삶이다.

젊었을때는 과거, 현재, 미래를 연결하고 현재와 미래에 더 집중한다. 미래에 성공하기 위해서다. 노년기 때는 과거, 현재, 미래를 연결하고 과거와 현재에 더 집중한다. 미래의 시간이 얼마 남지 않았기 때문이다. 특히 노년기에는 무릅관절염, 디스크 등 합병증으로 잘 걷지를 못한다는 경우가 있다. 이때 아프다고 누워만 있거나 앉아서 tv만 보면 안된다. 하체근육 감소를 예방하지 위해서는 움직여야 한다.

[사례] 부자간 일상적인 대화

(아들) "아버님! 어머님! 몸 상태가 안 좋은 것 같은데요. 요새 괜찮아요?"

(아버지) "그래 난 괜찮아. 걱정 마! 어미(아내)는 잘 있냐."

(아들) "네~ 아버님은요!"

(아버지) "잘 있다. 너는?"

(아들) "저도 잘 있어요."

(아버지) "아버님! 건강이 최고예요."

(아들) "전에 말씀드렸듯이 일어섰다 앉았다를 하루에 최소한 30번 이상 하세요. 건강에 큰 도움이 돼요."

(아버지) "그래. 요새 그렇게 해서 그런지. 뱃살도 빠지고 계단 오르는데 지장이 없다."

움직이어야 산다. 특히 나이가 들수록 움직여야 더 오래 살수 있다.

움직이지 못하면 요양원이나 요양병원에 입원하게 되고 근육감소 등의 노화로 사망한다. 완료형은 사망이다. 현재 진행형으로 살아야 한다. 살고 싶으면 지금 움직이는 것이 중요하다. 노년기에는 손발부터 움직여야 한다.

노인뿐만 아니다. 우리는 현재 진행형으로 살아가고 있다. "삶은 진행형이다"는 단순한 문구가 아니다. 우리 삶의 방향을 제시해주는 중요한 지침이다. 끊임없이 변화하는 삶을 긍정적으로 받아들이고, 주체적으로 살아가는 삶의 진행형을 통해 우리는 더욱 풍요롭고 의미 있는 삶을 만들어갈 수 있다.

[출구 팁] "삶은 진행형이다"가 제시하는 중요한 지침
1. 변화를 받아들이고, 끊임없이 배우면 성장한다.
2. 목표를 설정하고, 긍정적인 태도로 산다
3. 현재에 집중하고, 주변 사람들과 관계를 소중히 여긴다..
4. 자신를 사랑하고. 다른 사람과 삶을 즐긴다.
5. 끊임없이 노력하고 발전하며, 삶의 의미를 찾는다.

29. 돈과 권력 한시적이다(건강에 미쳐라)

건강의 사전적 의미는 정신적으로나 육체적으로 아무 탈
이 없고 튼튼함 또는 그런 상태이다. 일반적으로 '건강하
다'고 하면 많은 사람은 신체적인 건강만 생각한다. 건강
은 신체적 건강뿐 아니라 정신과 마음의 건강도 포함된
다. 건강은 굳셀 건(健)과 편안할 강(康)으로 굳세고 편안한
상태를 의미한다.

세계보건기구(WHO)에 의하면 건강이란 질병이 없는 상태
만 의미하는 것이 아니라, 신체적, 정신적 그리고 사회적
으로 완전히 편안한 상태라고 한다. 최근에는 영적 건강
도 포함하고 있다. 영적 건강은 영성을 통해 얻어지는 건
강이다. 영성은 개인과 사회에서의 문제나 스트레스를 줄
여주고 절제된 삶을 살게 하기 때문에 더 오래 살 수 있
다고 한다. "건강에 미쳐라"는 의미는 앞에서 말한 건강
에 대한 깊은 관심과 헌신을 바탕으로 건강한 삶을 추구
하는 적극적인 태도를 말한다. 단순히 질병을 예방하는
것을 넘어, 최상의 웰빙 상태를 달성하고 유지하기 위해
노력에 미치라는 말이다.

우리의 삶에서 가장 중요한 요소는 건강이라는 것을 누구
나 알고 있다. 그러나 남자와 여자에게 물어보면 남자는

대부분 '건강'을 중요시하고 여자는 대부분 '사랑'을 중요시한다. 사랑도 건강이다. 건강해야 사랑을 할 수 있다. 서로가 건강하지 않으면 사랑도 무의미해진다. 둘 중 하나 또는 둘 다 아프다면 사랑이 지속되기 힘들다. 사랑은 건강해야 이루어진다. 건강한 사랑은 신체적 건강, 감성적 건강, 정신적 건강, 사회적 건강, 영성적 건강 등을 포함한다.

사랑도 나이를 먹는다. 고령화시대라고는 하지만 나이가 들면 들수록 여기저기 쓸모없는 중고품이 된다. 70대에 70%가 환자고 80대에는 80%가 환자, 90대에는 90%가 환자라는 말이 있다. 나이가 먹으면서 건강한 사랑은 식어가고 마음도 식어간다. 그래서 우리의 삶에서 가장 중요한 핵심요소는 건강이다. 집에 사람이 살지 않으면 폐가처럼 변하듯이 우리의 신체, 마음, 뇌의 활동이 저하되면 건강은 빠른 속도로 나빠진다. 몸과 마음, 뇌를 계속 움직이고 사용하는 것이 건강이다. 건강이 왜 중요하냐면 돈은 잃게 되면 조금 잃는 것이고 명예를 잃으면 많이 잃는다고 한다. 반면 건강을 잃으면 모든 것을 다 잃다. 건강을 잃으면 사랑도 아무 의미가 없다. 돈, 권력, 명예는 건강 다음에 생각할 문제다. 주연은 건강이고 조연은 돈, 권력, 명예이다. 건강은 녹화방송이 아니다. 건강은 생방송이다. 돈과 권력은 한시적이다. 건강은 나 자신과 가족, 지인 모두에게 주는 든든한 선물이다. 건강은 삶의 가장 소중한 자산이다. 지금 나는 건강한가.

[출구 팁1] 건강을 위해 할 수 있는 것들(예방, 관리, 치료)

1. 예방

- 규칙적인 운동: 걷기, 달리기, 수영 등 일주일에 3~5회, 30분 이상 운동을 하는 것이 좋다.
- 균형 잡힌 식단: 채소, 과일, 통곡물, 저지방 단백질 등 영양소가 풍부한 음식을 골고루 섭취한다.
- 충분한 수면: 성인의 경우 하루 7~8시간 정도의 수면한다.
- 스트레스 관리: 명상, 요가, 음악 감상 등 스트레스를 해소하는 방법을 찾는다
- 금연 및 과도한 음주 제한: 담배와 과도한 음주는 건강에 매우 해롭다.
- 정기적인 건강검진: 질병을 조기에 발견하고 치료하기

위해 정기적으로 건강검진을 받는 것이 좋다.

2. 관리

- 건강 상태 관찰: 자신의 건강 상태를 주의 깊게 관찰하고, 이상 증상이 나타나면 즉시 병원에 방문한다.

- 만성 질환 관리: 당뇨병, 고혈압, 심혈관 질환 등 만성 질환이 있는 경우, 의사의 지시에 따라 꾸준히 관리한다.

- 약물 복용: 처방된 약물을 규칙적으로 복용한다.

- 재활 치료: 필요한 경우 재활 치료를 통해 기능 회복한다.

3. 치료

- 질병의 원인 파악: 정확한 진단을 위해 전문 의료기관을 방문하고 필요한 검사를 받는다.

- 적절한 치료: 의사의 진단과 치료 계획에 따라 적절한 치료를 받는다.

- 생활 습관 개선: 건강한 생활 습관을 유지하여 질병의 재발을 방지한다.

[출구 팁2] 건강을 악화시키는 요인들

- 불규칙한 생활 습관: 불규칙한 식사, 수면 부족, 운동 부족, 과도한 스트레스 등은 건강을 악화시키는 주요 요인이다.
- 영양 불균형: 영양소가 부족하거나 불균형한 식단은 건강에 해롭다.
- 흡연 및 과도한 음주: 담배와 과도한 음주는 건강에 매우 해롭다.
- 환경 오염: 대기 오염, 수질 오염, 소음 오염 등 환경 오염은 건강에 악영향을 미친다.
- 질병: 만성 질환, 감염성 질환 등 질병은 건강을 악화시키는 요인이다.

30. 인생 100세 시대 2090열차 타기(노후 보장)

요즘 퇴직은 더 빨라지고 있고 의학의 발달로 평균수명은 점점 더 길어지고 있다. 퇴직 후 살아갈 날도 점점 더 늘어나고 있다. 퇴직 후 시간은 늘어나고 있는데 노후준비는 턱없이 부족하다. 퇴직 후 쉬면서 유유자적하며 살 노후 준비가 시급함에도 말이다.

통계청 자료에 의하면 인구 고령화 속도가 영국, 프랑스, 독일, 노르웨이, 스웨덴은 1970년대, 이탈리아는 1980년대, 일본은 1990년대, 캐나다는 2010년대 순으로 고령사회에 진입했다. 일본의 경우 고령화 사회는 1970년, 고령사회는 1994년, 초고령사회는 2006년에 진입했고. 고령화 사회에서 고령사회로의 소요연수가 24년, 고령사회에서 초고령사회로의 소요연수가 12년으로 대부분의 서구 선진국에 비해 빠른 편이다. 일본, 이탈리아, 독일, 필란드, 그리스, 스웨덴, 프랑스, 오트리아 등은 초고령사회에 진입했고 영국, 캐나다는 2025년, 중국은 2028년, 호주는 2033년, 미국은 2036년 초고령사회진입이 예상되고 있다, 대한민국의 경우을 보자. 65세 이상 인구가 총인구를 차지하는 비율이 7% 이상인 고령화 사회가 2000년, 비율이 14% 이상인 고령사회가 2018년, 비율이 20% 이상인 초고령사회가 2025년으로 예측되고 있다. 고령화 사회에서 고령사회로의 소요연수가 18년, 고령사회에서 초고령사회로의 소요연수가 8년으로 역사상 유래 없이 세계에서 가장 빠른 속도로 진입하고 있다. 2050년엔 65세 이상 인구비중이 전체 인구의 38.2%로 예측하고 있다.

노령화는 더욱더 빨라질 것이다. 앞으로 장수의 비밀인 인간 게놈(Genom) 연구가 성공하면 누구나 120세까지 살 수 있게 될 것으로 예상된다. 베이비붐 세대(1955~1963)는 2050년이면 87세에서 95세가 돼. 베이비붐 세대는 2050년이면 100세 시대를 선두하게 될 것ㄱ이다. 베이비붐 세대에 있어 가장 중요한 문제 중 하나는 노후문제이다.

노화·고령사회연구소에 따르면 베이비붐 세대는 전체 인구의 14.6%인 712만 명으로 수적 우위를 차지하는 집단이다. 이들은 급격한 경제성장과 외환위기, 글로벌 금융위기를 경험한 세대로 사회의 중심축 역할을 하여 왔으나 2010년부터 퇴직이 시작되어 이들이 노인세대에 접어드는 2018년 시점을 고려하면 고령사회 대책과 함께 퇴직자들에 대한 퇴직준비가 필요하다. 조기퇴직, 명예퇴직이 일상화된 베이비붐 세대는 노후준비가 사실상 무방비 상태에 있다. 100세 시대를 사는 고령자가 노후를 대비한 돈이 없고 건강의 약화되면 본인뿐 아니라 가족 더 나아가

사회의 재앙이자 고통이 될 수 있다.

40세에서 50세는 인생 100세 열차인 2090열차에 탈수 있을가? 고품격의 행복한 삶을 추구하는 2090열차에 어떻게 승차할 것인가? 이 문제는 정부의 지원에 의존하기보다는 나 스스로 먼저 해결해야 할 중요한 우리 삶의 과제이다. 2090열차를 탈 사람은 1980년대 출생한 사람과 그 전후의 세대이다. 2090열차에 어떻게 승차하느냐 문제는 재취업, 창업, 취미생활, 건강, 생활자금 등 노후준비를 잘 하면 누구든지 승차가 가능하다. 노후 준비를 어떻게 하느냐에 달려있다. 노후준비는 빠르면 빠를수록 좋다. 퇴직 이전에 또는 퇴직 후 최소 30~50년 동안 살아갈 노후설계를 하고 그에 따른 재무적 준비와 건강관리를 튼튼히 해야 한다. 돈이 인생의 전부는 아니다. 하지만 현실적으로 돈 없으면 노후가 고단해지고 삶의 질이 저하될 수밖에 없다.

퇴직 후의 노후 삶이 빈곤한 세대를 실버푸어^(silver poor)라 한다. 실버푸어는 2090열차에 승차하기도 쉽지 않다. 노후준비가 부족한 퇴직자는 2090열차 표를 구입하지 못해 후회하면서 노후를 힘들게 살 수 밖에 없다. 퇴직 후 이모작, 삼모작이 그 어느 때보다도 필요한 시기다. 이모작, 삼모작 인생에서 무엇을 하고 살아야 할지를 생각하고 결정하고 배우고 일을 해야만 한다. 퇴직 후 혼자 살더라도 뭔가 의미 있는 일을 찾아 실천하는 것이 중요하다.

퇴직 후 노후준비를 위한 근본적인 대책은 끝없이 배우고 익히는 AI(인공지능) 디지털 자기주도학습에 달려있다. 나이와 관계없이 늘 배운다는 것은 정신과 마음의 건강에 좋다. 노후에는 신체, 정신, 마음의 건강이 최고다. 가장 행복한 2090호 열차에 승차할 수 있는 우아하고 품위 있는 노후전용 열차 승차표는 건강이다. 나는 행복의 2090 열차를 탈 준비를 하고 있나?. 아직 노후준비를 하지 않고 있었다면 지금부터라도 준비하자. 늦지 않았다. 이 책을 읽는 지금부터 "나는 할 수 있다'라는 가능성의 문을 열고 '나는 한다'라는 실천의 문을 열고 바로 행동하라.

[출구 팁] 100세 시대 노후 대책 3가지 핵심전략.

1. 경제적 기반 마련: 안정적인 은퇴를 위한 든든한 기반

- 적극적인 자산 형성: 꾸준한 저축, 투자, 부동산 활용 등을 통해 노후 자금을 확보한다
- 연금 수령 전략: 국민연금, 퇴직연금, 개인연금 등 다양한 연금 상품을 활용하여 안정적인 소득을 확보한다.
- 소비 습관 개선: 계획적인 소비 습관을 통해 불필요한 지출을 줄이고 저축률을 높인다.

- 재테크 지식 습득: 금융 상품 및 투자 전략에 대한 이해를 높여 효율적인 자산 관리를 실천한다.

2. 건강 관리: 100세까지 건강하게 살기 위한 노력

- 규칙적인 운동: 걷기, 달리기, 수영 등 자신에게 맞는 운동을 꾸준히 실천한다
- 균형 잡힌 식단: 영양소 균형을 고려한 식사를 통해 건강을 유지하고 질병 예방한다.
- 정기적인 건강검진: 질병 조기 발견 및 예방을 위해 정기적인 건강검진을 받는다
- 정신 건강 관리: 스트레스 관리, 취미 활동 등을 통해 정신 건강을 유지한다.

3. 사회 참여: 활기찬 노후를 위한 새로운 도전

- 새로운 활동 시작: 봉사활동, 동아리 활동 등 사회 참여 활동을 통해 새로운 경험을 쌓는다.
- 지속적인 학습: 관심 분야에 대한 평생학습을 통해 뇌 건강을 유지하고 새로운 지식을 습득한다.
- 가족 및 친구와의 관계 유지: 가족, 친구들과 꾸준히 교류하며 사회적 관계를 유지한다.
- 새로운 기술 익히기: AI(인공지능), 스마트폰 등 새로운 기술을 익혀 시대 변화에 적용한다.

위의 핵심전략을 개인의 상황에 맞게 조합하여 적용한다.

31. 시간과 공간을 비운다(먼저 비우기)

물건을 사야할 때, 무엇인가를 하고자 할때 우선 결정하기 전에 먼저 버릴 것이 무엇인지를 생각해야 한다. 버릴 것이 무엇인지는 내게 쓸모없거나 쓸모 있다고 하더라도 얼마 못가 소모될 가능성이 높을 것들이다. 버릴 것부터 폐기처분하면 무엇을 먼저 사야하는지 무엇을 먼저해야 하는지 우선순위가 결정된다. 우선순위는 비움의 순서이다. 무엇을 언제 어떻게 버리느냐를 결정하기 전에 왜 버리는 것이 나와 다른 사람에게 도움이 되는 가를 생각해야 한다. 버림은 공간을 채우기 위한 하나의 생산물이다. 버림을 통해 새로운 공간을 창조할 수도 있고 공간을 메울 수도 있다. 공간을 버리고 채우고 하는 과정에서 시간을 튜닝할 수 있다. 시간 튜닝을 통해 공간을 만들 수 있다. 시간과 공간의 깊이와 넓이는 하나의 융합된 타이밍이 필요하다. 이 타이밍은 우선순위에 따라 중요도가 다를 수 있다. 타이밍은 중요도가 차지한다고 할 수 없다. 중요도에 따라 우선순위를 정하면 좋지만 꼭 우리의 일상적인 삶은 그렇지만은 않다. 중요도가 떨어지더라도 급한 것일 경우에는 우선순위를 재조정하여 중요도의 타이밍을 튜닝하는 것이 좋다.

예를 들면, '맛있는 스테이크를 먹고 싶다. 그래서 유명 레스토랑에 가서 최고가의 스테이크를 주문했다. 오늘 스테이크를 먹는 것이 나에게는 중요했다. 그렇기 때문에 스테이크를 먹기 위해 여기에 왔다. 하지만 바쁘게 오느라고 그랬는지 배가 아파다. 먹고 싶던 스테이크가 나왔다. 참으며 먹으려고 했다. 안되겠다. 먹는 것도 중요하지만 내게 더 급한 일이 생겼다. 화장실로 갔다. 급하게 뛰어갔다. 볼 일을 보고 와서 먹기 시작했다.' 이 사례에서 보듯이 오늘 스테이크를 먹는 것은 중요한 일이다. 하지만 중요도가 높다고 하여 급한 일을 무시할 수 없다. 무시하다가는 중요한 일도 포기할 수 있거든다. 중요도는 상황에 따라 우선순위에 반영되어야 다. 획일적으로 결정될 문제는 아니다. 우리 일상적인 삶도 절대적인 값을 가지고 있는 것이 아니다. 비워야 한다. 시간과 공간을 먼저 비워야 채울 수 있다. 비우는 과정은 새로운 시작을 위한 준비이다. 불필요한 것들을 버리고 마음을 비우는 것은 쉽지 않지만, 그 과정에서 얻을 수 있는 자유와 여유는 삶의 질을 크게 향상시킬 수 있다.

[출구 팁] 시간과 공간을 채우기 전에 먼저 비우는 방법
1. 불필요한 물건 비우기

- 단계별 물건 정리하기
  - 1년 이상 사용하지 않은 물건은 버리거나 기부한다.
  - 아직 사용 가능한 물건은 중고거래 플랫폼을 통해 판매하거나 기부한다.
  - 버려야 할 물건은 재활용 가능한 품목으로 분리수거한다.
- 기억과 감정에 집착하지 않기
  - 물건을 버리는 과정에서 떠오르는 기억이나 감정에 얽매이지 않는다
  - 물건 자체보다는 현재와 미래에 집중하고, 더 나은 삶을 위한 변화를 긍정적으로 생각한다.
- 정리 습관 유지하기
  - 새로운 물건을 구입하기 전에 꼭 필요한지 꼼꼼히 ₩ 따져본다.
  - 사용하지 않는 물건은 정해진 장소에 보관하고, 정기적 으로 정리한다.

2. 나쁜 마음 비우기
- 마음 챙김
  - 현재에 집중하고, 떠오르는 생각과 감정을 있는 그대로 관찰한다.
  - 판단하거나 평가하지 않고, 마치 구름이 지나가듯 흘려 보낸다.

- 긍정적인 생각

．감사하는 마음, 자비로운 마음, 사랑하는 마음 등
　긍정적인 생각을 한다

．긍정적인 생각을 담은 책이나 글을 읽거나, 명상을
　통해 마음을 다진다.

- 자기 성찰

．나쁜 마음이 생기는 원인을 파악하고, 이를 해결하기
　위한 방법을 모색한다

．필요하면 전문가의 도움을 받거나, 스스로 성장할 수
　있는 기회로 삼는다.

3. 나쁜 정신 비우기

- 충분한 휴식

．규칙적인 운동, 충분한 수면, 건강한 식습관 등을 통해
　몸과 마음을 균형 있게 관리한다.

．스트레스 관리 방법을 익히고, 자신에게 맞는 휴식
　방식을 찾아 실천한다.

- 긍정적인 경험

．좋아하는 일을 하거나 새로운 것을 배우며 긍정적인
　경험을 쌓는다.

．자연 속에서 시간을 보내거나, 예술 활동을 통해 마음
　을 힐링한다.

- 목표 설정
. 의미 있는 목표를 설정하고, 노력하여 성취감을 느낀다.
. 작은 성공에도 스스로를 칭찬하며 긍정적인 에너지를
  유지한다.

32. 비움에서 시작한다.
(생각 디폴트(default) 모드와 폐기학습)

좋은 노래, 좋은 말, 좋은 칭찬도 한두 번이면 족하다는 말이 있다. 아무리 듣기 좋고 좋은 칭찬을 하더라도 또 듣고 또 칭찬받으면 듣기 싫어지고 칭찬받고 싶지 않다. 과다한 좋은 말, 반복된 좋은 칭찬 등은 생각의 뇌를 활성화시킨다. 생각의 활성화 값이 지나치면 스트레스로 변한다.

예를 들면, 문서세단기에 폐기할 문서 적정량을 투입하면 잘 세단된다. 그러나 다수의 문서를 투입하면 세단기의 작동이 멈춘다. 이처럼 우리의 생각도 너무 채우면 작동이 멈춘다. 멈추면 스트레스가 된다. 생각의 활성화 값은 적정선에서 중지하거나 버려야 한다. 물 잔을 채우려면 물 잔을 비워야 하듯이 우리의 생각에 가득한 잡생각이나 스트레스, 과도하게 활성화된 지식 등은 비워야 한다. 비움이 생산의 동기가 된다. 비움은 생각의 뇌를 자극하는 하나의 지식생산소이기 때문이다.

스마트폰은 상대방을 배려하기 위한 음소거 모드나 진동 모드가 있듯이 우리의 생각에는 디폴트 모드^(default mode)가 있다. 디폴트 모드란 생각의 뇌 기초 값이다. 생각이 가득

차 있다고 생각할 때 내 머릿속에 있는 생각을 수시로 디폴트 모드로 전환해야한다. 그래야 스트레스를 받지 않고 건강한 생각으로 살 수 있다. 건전하고 생산적인 생각을 위해서는 먼저 머릿속의 생각을 버려야 한다. 버리지 않고 끝가지 가지고 있다간 과부하 걸려 정신과 마음의 건강뿐 아니라 육체적 건강에도 악영향을 미친다. 생각을 버리기가 무척 아깝다고 생각하면 소유하려고 하지 말고 다른 사람과 공유하거나 나누어 준다. 공유하거나 나누어 주거나 비우지 않으면 내 생각을 채울 오늘의 생각 공간은 없다.

오늘 생각의 공간을 채우고 싶으면 지나간 생각, 쓸모없는 생각, 걱정거리, 고민거리, 얽힌 생각, 나와 아무런 연관성이 없는 생각 등을 과감히 쓰레기통에 버려야 한다. 버려야 다시 배우고 새로운 것을 채울 수 있다. 그래서 폐기학습이 필요하다. 모름지기 배움은 비움에서 시작한다. 비움은 왜 비웠는지를 생각하는 스스로의 질문을 통해 만들어진다. 마음대로 되지 않은 일, 마음대로 되지 않는 연애, 마음대로 되지 않는 사업, 마음대로 되지 않는 공부, 마음대로 되지 않는 생각과 실천 등 마음먹은 대로 되지 않고 풀리지 않는다면 가장 먼저 과감하게 버려야한다. 그래야 새로운 생각의 싹이 자란다.

여기서 말하는 생각 디폴트 모드는 딴 생각을 하거나, 공상에 잠기거나, 아무것도 하지 않고 있을 때 뇌에서 활성화되는 영역이고, 폐기학습은 과거에 학습했던 불필요한 지식이나 잘못된 정보를 의도적으로 버리는 과정이다. 인간의 뇌는 정보 과부하 상태에 놓이면 새로운 정보를 효율적으로 처리하지 못하게 된다. 폐기학습은 이러한 정보 과부하를 방지하고, 새로운 학습에 필요한 뇌 용량을 확보하는 데 도움이 된다. 생각 디폴트 모드와 관련하여 다음과 같은 의미로 사용될 수 있습니다. 폐기학습은 기존 생각의 틀을 깨고 새로운 관점을 형성하기 위한 학습, 편견과 고정관념을 버리고 열린 사고방식을 키우기 위한 학습, 기존 지식과 경험을 재검토하고 더 나은 학습 방식을 모색하는 학습으로 정의할 수 있다. 폐기학습은 단순히 지식을 잊거나 버리는 것이 아니라, 기존의 사고방식을 의도적으로 해체하고 새로운 가능성을 열어주는 과정이다. 이는 창의적 문제 해결, 혁신적인 아이디어 발상, 그리고 개인적인 성장에 필수적 모드이다.

그럼, 생각 디폴트 모드와 폐기학습의 관계를 살펴보자. 생각 디폴트 모드와 폐기학습은 같은 것 같으면서도 미묘한 차이가 있다. 생각 디폴트 모드는 우리가 주의를 기울이지 않을 때 뇌가 자동으로 작동하는 모드이다. 이 모드에서는 과거 경험이나 기억을 되짚어보거나, 미래에 대한 계획을 세우거나, 상상에 젖는 등의 활동을 한다. 생각 디폴트 모드는 창의성을 발휘하는 데 도움을 줄 수 있지만, 과거에 대한 집착이나 부정적인 생각에 사로잡히게 만들 수도 있다. 폐기학습은 생각 디폴트 모드를 효과적으로 활용하는 데 도움을 준다. 과거에 대한 부정적인 생각이나 쓸모없는 정보를 버림으로써, 현재에 집중하고 새로운 아이디어를 떠올리기 위한 공간을 확보할 수 있다. 폐기학습을 하는 것은 생각보다 쉽지 않다. 익숙한 사고방식을 버리고 새로운 것을 받아들이는 데에는 많은 노력과 시간이 필요하기 때문이다. 다음과 같은 방법을 통해 폐기학습을 효율적으로 수행할 수 있다.

1. 다양한 정보와 관점에 노출되기
  . 다양한 분야의 책, 기사, 블로그 등을 읽고 새로운 정보를 얻는다.
  . 전문가들의 강연이나 워크샵에 참여하여 새로운 관점을 접한다.
  . 다양한 배경을 가진 사람들과의 대화를 통해 새로운 생각을 얻는다.

2. 의식적인 질문하기
  . 정보를 그냥 받아들이기보다는, 그 정보의 출처, 근거,

그리고 타당성에 대해 질문한다.

. 자신의 가치관, 믿음, 그리고 생각의 틀에 대해 질문하고
검증한다.

. "왜?", "어떻게?", "만약 ~라면?"과 같은 질문을 통해
새로운 가능성을 탐색한다

3. 실험과 실패를 두려워하지 않기

. 새로운 아이디어를 실험하고, 실패를 통해 배우는 것을
두려워하지 않는다.

. 편안한 영역에서 벗어나 새로운 도전을 하고, 자신의
한계를 넓히는 것을 즐긴다.

. 실수를 통해 배우고 성장하는 것을 긍정적인 경험으로
받아준다.

4. 폐기학습을 위한 도구 활용하기

. 마인드맵, 자유 연상, 그리고 꿈 분석과 같은 도구를
사용하여 새로운 아이디어를 발상한다.

. 글쓰기, 그림 그리기, 그리고 음악 연주와 같은 창의적
인 활동을 통해 새로운 생각을 표현한다.

. 명상, 요가, 그리고 심호흡과 같은 활동을 통해 마음을
맑게 하고 새로운 관점을 얻는다.

폐기학습은 가족 구성원들이 함께 성장할 수 있는 좋은

기회이다. 폐기학습은 한 번에 끝낼 수 있는 과정이 아니라, 끊임없이 반복해야 하는 과정이다. 폐기학습을 통해 우리는 더 나은 학습자, 문제 해결자, 그리고 창의적인 사상가가 될 수 있다.

[출구 팁] 가정에서 할 수 있는 폐기학습 방법

1. 가족과 함께 질문하기

- 저녁 식사 때, "오늘 가장 기억에 남는 뉴스는 무엇이었나요?" "그 뉴스에 대해 어떻게 생각하세요?"와 같은 질문을 통해 가족들과 이야기를 나눈다.
- 일상생활에서 당연하게 받아들이는 것들에 대해 "왜 이렇게 하는 것이 좋을까요?" "다른 방법은 없을까요?"와 같은 질문을 통해 비판적 사고한다.
- 자녀들과 "만약 우리 가족이 해외여행을 간다면 어디로 가면 좋은가요?" "만약 우리 가족이 돈 걱정을 안 해도 된다면 어떤 일을 하고 싶나요?"와 같은 상상력을 자극하는 질문을 통해 창의적 사고를 키운다.

2. 가족 토론

- 다양한 주제에 대해 가족 토론 시간을 정해 놓고, 각자의 의견을 자유롭게 표현한다.
- 토론 과정에서 다른 사람의 의견을 경청하고, 자신의

의견을 논리적으로 설명하는 능력을 키운다.

- 토론 결과에 동의하지 않더라도 서로 존중하는 태도를 보인다.

3. DIY(Do It Yourself) 프로젝트
- 버려지는 물건들을 이용하여 새로운 아이템을 만드는 DIY 프로젝트를 진행한다
- DIY로 창의적 사고와 문제 해결 능력을 키운다
- 가족 구성원들이 협력하여 DIY프로젝트를 완수하면서 협동심을 함양한다.

4. 새로운 경험
- 가족 여행, 새로운 취미 시작, 새로운 기술 배우기 등 다양한 경험을 통해 폐기학습을 실천한다.
- 새로운 경험은 기존의 사고방식을 깨고 새로운 관점을 얻는 데 도움이 된다.
- 가족 구성원들이 함께 새로운 경험을 하면서 유대감을 강화할 수 있다.

33. 시작(입구)이 있고 끝(출구)이 있다.
(시작이 중요하다)

출구전략^(Exit Strategy)이라는 말은 신문, 뉴스를 통해 들어 봤을 거다. 출구전략은 군사전략에서 비롯된 용어다. 전쟁에서 인명과 장비의 피해를 최소화하면서 철수하는 전략이다. 이 출구전략은 다른 용도로도 사용하고 있다. 금융 위기로 경제가 어려울 때 각종 정책과 조치들에 의한 부작용과 후유증을 최소화하고 재정 건전성을 강화하면서 정상화하는 전략으로, 한 기업이 다른 기업을 인수, 합병한 다음 적절한 시기에 매각해 이익을 챙기는 전략으로 사용한다. 하지만 출구전략만이 만사가 아니다.

입구전략^(Entrance Strategy)은 출구전략의 반대 개념이다 입구전략은 나아가는 전략이 아니라 들어설 때 필요한 전략으로 매우 중요하다. 입구전략은 고속도로 터널 입구에 들어가는 것과 같다. 고속도로 터널 입구에 들어가면 제일 먼저 전조등을 켜야 하고 다음으로 차선을 변경하면 안된다. 이처럼 입구전략은 어느 국면에서든 중요한 전략이다. 우리는 입구전략이 있느냐 없느냐에 따라 차이가 난다. 입구전략이 없으면 목적과 방향을 잃고 무의미한 삶을 사는 것이다. 반면 입구전략이 있으면 목적과 방향을 향해 의미 있는 삶을 영위할 수 있다. 입구전략이 있는 사람은 좋고 나쁨에 관계없이 자신이 가고자 하는 삶의 길은 걷는다. 나는 어떤 입구전략을 가지고 있는가?. 입구전략은 준비되었는가?. 입구전략에는 어떤 것들이 있는가?를 생각해보자. 무엇을 하든지 간에 지금 먹고 싶은 음식, 지금 보고 싶은 영화, 지금 하고 싶은 일에 대한 입구전략이 우선시 되어야 한다.

음식과 관련한 입구전략의 예를 들면, 우리 몸의 에너지는 밖에서 얻어 흡수한다. 밖에서 얻는 에너지는 음식이다. 우리는 에너지를 얻기 위해 입을 통해서 음식을 섭취한다. 섭취하는 음식물은 대부분 단백질, 탄수화물, 비타민, 무기질, 식이섬유 등과 같은 영양소이다. 이 영양소가 우리 몸에 쉽게 흡수될 수 있도록 분해하는 과정이 소화이다. 소화는 입에서 시작하여 항문으로 이어진다. 음식은 입으로 들어가 인두, 식도, 위, 십이지장, 소장, 대장을 통해 소화된 다음 항문으로 나온다. 우리 몸의 에너지는 외부에서 얻는다. 내부는 외부로부터 흡수한 에너지를 생산하는 곳이다. 우리 몸의 에너지 공급원은 음식이다. 음식 입구는 입이고 출구는 항문이다. 음식은 유해한 음식과 좋은 음식이 있어다. 유해한 음식은 에너지 공급에 도움이 안 된다.

100세 시대를 맞아 음식은 건강에 좋은 영향을 미치는 음식을 먹는 것이 좋다. 건강에 좋은 음식으로는 세계 10대 슈퍼 푸드를 들 수 있다. 미국 타임지에서 선정된 가장 맛좋은 세계 10대 슈퍼 푸드는 마늘, 토마토, 블루베리, 브로콜리, 연어, 녹차, 적포도주, 시금치, 귀리, 견과류이다. 누구나 항상 건강하기를 원한다. 몸에 좋은 음식만을 찾는 사람이 많아졌다. '자기야! 오늘은 어떤 음식을 먹을까, 자기야! 저녁때 뭐해 먹을까', '자기야! 점심때 뭘 먹고 싶어', '자기야! 내일 아침에 먹고 싶은 거 있어' 등등 우리는 배고프기도 전에 먹는 것을 생각한다. 식사 때마다 무엇을 먹을 것인가는 삶의 가장 중요한 입구전략 중 하나이다.

뭘 먹느냐에 따라 몸의 건강 상태가 달라진다. 음식 선택은 사람마다 다르다. 무슨 음식을 먹을지를 선택할 때에는 자신만의 좋아하는 음식을 생각해야 한다. 음식 입구에는 영양소가 풍부한 음식, 누가 먹든지 소화가 잘 되는 음식, 제일 먼저 먹고 싶은 음식 등이 들어가야 한다. 음식이 우리의 입구인 입으로 들어갈 때 소화도 잘되고 몸 상태도 좋아진다. 소화가 잘 되면 될수록 항문으로 잘 배출된다.

음식 입구전략에서 보듯이 음식은 입에 들어가 소화과정

을 거쳐 항문으로 배출된다. 우리가 하는 어떤 일이든 입구전략이 우선이다. 다음은 출구전략이다. 시작(입구)이 있어야 끝(출구)이 있고 끝(출구)이 있어야 다시 시작(입구)할 수 있다.

우리 삶은 시작과 끝이라는 두 개의 관문 사이를 끊임없이 여행하는 과정과 같다. 그 여행과정을 3가지만 예로 살펴보자.

1. 입과 항문: 맛있는 시작과 건강한 끝

음식은 입을 통해 우리 몸으로 들어가 에너지원으로 변환한다. 맛있는 음식을 맛보는 순간은 행복과 즐거움을 선사한다. 입은 우리 삶의 시작을 상징하며, 새로운 경험과 가능성을 의미한다. 반면, 항문은 음식물이 몸에서 배출되는 곳이다. 깨끗하게 배출되는 과정은 건강한 삶을 유지하는 데 필수다. 항문은 우리 삶의 끝으로 상징할 수 있다, 이는 과거를 뒤로하고 새로운 시작을 준비하는 의미를 담고 있다.

2. 출근과 퇴근: 꿈을 향한 여정과 일상의 안식처

출근은 꿈을 향한 여정을 시작하는 순간이다. 우리는 각자의 목표와 포부를 향해 노력하며 성장해 나간다. 출근은 우리의 열정과 헌신을 상징하며, 더 나은 삶을 만들겠다는 의지를 보여준다. 반면, 퇴근은 하루의 노고를 마치고 안식처로 돌아오는 순간이다. 피곤한 몸을 쉬게 하고, 가족과 함께 시간을 보내며 재충전하는 시간이다. 퇴근은 우리의 삶에 균형을 가져다주고, 다음 날을 위한 에너지를 준비하는 의미를 담고 있다.

3. 입학과 졸업: 새로운 시작과 성장의 증거

입학은 새로운 지식과 경험을 향한 여정의 시작이다. 우리는 학문을 통해 세상을 이해하고, 스스로를 발전시켜 나간다. 입학은 우리의 꿈과 목표를 향한 첫 발걸음을 상징하며, 무한한 가능성을 열어준다. 반면, 졸업은 학업을 성공적으로 마치고 새로운 세상으로 나아가는 순간이다. 우리는 지난 시간 동안 쌓아온 지식과 경험을 바탕으로 사회에 참여하고 기여한다. 졸업은 더 큰 도전을 향한 준비를 의미를 담고 있다.

이처럼 시작(입구)과 끝(출구)은은 서로 연결된 하나의 완결체이다. 시작(입구)가 먼저고 끝(출구)는 나중이다. 입구는 새로운 시작을 상징하며, 출구는 성취와 변화를 상징한다. 우리는 시작과 끝의 연결 속에서 끊임없이 배우고 성장하며 살아가는 존재이다.

시작과 끝은 단순히 과정의 시작과 끝을 의미하는 것이 아니라, 그 과정에서 얻는 경험과 성장, 그리고 변화를 의미한다. 시작은 새로운 가능성을 열어주고, 끝은 새로운 시작을 위한 발판이 된다.

시작과 끝을 두려워하지 말고, 새로운 여정을 즐기자. 그리고 그 과정에서 얻는 경험과 성장, 그리고 변화를 소중히 여기자.

[출구 팁] 시작과 끝, 우리 삶을 더욱 풍요롭게 만드는 요소

1. 자연속에서 찾아보는 시작과 끝

 . 계절의 변화: 봄(입구) - 여름(성장) - 가을(수확) - 겨울(잠복) - 봄(새로운 시작)

 . 나무의 성장: 씨앗(입구) - 발아(새로운 시작) - 어린 나무(성장) - 큰 나무(정점) - 낙엽(마무리) - 씨앗 (새로운 시작)

 . 하루의 흐름: 해돋이(입구) - 아침(활동 시작) - 점심 (중간 지점) - 오후(활동 지속) - 저녁(마무리) - 해 질녘(종료) - 해돋이(새로운 시작)

2. 인간의 삶 속에서 찾아보는 시작과 끝

 . 인생 단계: 어린 시절(입구) - 청소년기(성장) - 성인 (정점) - 노년기(쇠퇴) - 죽음(종료)

 . 꿈과 목표: 꿈 설정(입구) - 노력(성장) - 목표 달성

   (정점) – 새로운 꿈 설정(새로운 시작)

. 사랑의 여정: 만남(입구) – 사랑(성장) – 결혼(정점) –
　가족 관계 형성(지속) – 죽음(종료)

3. 예술과 문화 속에서 찾아보는 시작과 끝

. 음악: 시작 음표(입구) – 멜로디(여정) – 마지막 음표
　(출구)

. 소설: 서막(입구) – 줄거리(여정) – 대단원(출구)

. 영화: 오프닝 장면(입구) – 스토리(여정) – 엔딩 장면
　(출구)

4. 역사 등 넓은 시각에서 본 시작과 끝

. 역사: 고대 문명(입구) – 번영(성장) – 쇠퇴(마무리) –
　새로운 문명(새로운 시작)

. 사회 변화: 혁명(입구) – 변화(성장) – 새로운 사회
　체제(정점) – 지속적인 발전(지속)

. 우주: 빅뱅(입구) – 우주의 팽창(성장) – 미래(불확실
　성) – 새로운 우주(새로운 가능성)

5. 기타 시작과 끝

. 게임: 시작 화면(입구) – 플레이(여정) – 클리어 또는

게임 오버(출구)

. 운동: 준비 운동(입구) – 본 운동(여정) – 마무리 운
  동(출구)

. 여행: 출발(입구) – 여행(여정) – 귀가(출구)

34. TV 시청시간 줄이자(15:4 rule)

제임스 보트킨은 일을 하기 전에 15분 동안 무엇을 할 것인지 생각하면 나중에 4시간을 절약할 수 있다고 했다. 미리 하루의 일을 생각한다. 우선순위를 정하고 하루의 업무를 조직화한 사람은 생각 없이 하루를 보내는 사람들보다 성공할 가능성이 훨씬 높다. 실패하는 사람들은 생각 없이 바로 일에 착수하는 습관을 가지고 있다. 생각할 시간을 주어야 한다.

링컨은 장작을 패는 데 쓸 수 있는 시간이 8시간이라면 나는 그 중 6시간 동안 도끼날을 날카롭게 세울 것이라고 했다. 링컨의 말은 실천에 앞서 준비할 시간을 넉넉히 주어야 한다는 의미다. 일을 하기 전 생각할 15:4 rule이 주는 의미와 유사하다. 리더는 리더 자신 뿐 아니라 직원에게 '자유로운 시간', '비움의 시간', '일하기 전 여유의 시간'을 만들어 주어야 한다. 적어도 15분은 주어야 한다. 생각하는 15분은 가장 중요한 지적자원이기 때문이다.

대표적인 사례를 들면, 첫째, 3M Company는 15% 법칙이 있다. 3M은 "15% 법칙"을 통해 직원들이 주 업무 시간의 15%를 새로운 아이디어 개발에 사용하도록 했다. 이 법칙은 포스트잇, Scotchgard 테이프 등 3M의 혁신적인 제품 개발에 기여했다. 둘째, 세바시 강연 15분이다. 세바시 15분은 CBS TV에서 편성·운영하는 TED형식의 한국형 미니 프레젠테이션 강연 프로그램으로 세상을 바꾸는 시간 15분의 약자이다. 개인 또는 조직에서의 아주 작은 목표, 준비, 습관 등의 차이가 성패를 좌우한 사례를 강연한다. 셋째, Google은 20% 시간이라는 정책을 통해 직원들이 주 업무 시간의 20%를 개인 프로젝트에 할애하도록 장려했다. 이 정책은 Google Chrome, Gmail 등 Google의 주요 제품 개발에 기여했다. 넷째, IDEO는 디자인 회사로, 15:4 규칙을 사용하여 새로운 제품 및 서비스를 디자인하는 과정에 적용했다. 15분 동안은 팀원들이 자유롭게 아이디어를 brainstorming하고, 4분 동안은 팀원들이 아이디어를 평가하고 최선의 아이디어를 선택했다.

15:4 rule의 장점과 단점을 살펴보자. 15:4 규칙의 장점은 일과 삶의 균형 개선, 과도한 노동 방지, 생산성 향상, 직원 만족도 향상, 일자리 창출 효과가 있다. 반면 15:4 규칙의 단점은 모든 업종에 적용하기 어려움, 생산성 감소 가능성, 임금 감소 가능성, 업무량 증가 가능성이 존재한다.

따라서, 15:4 규칙을 적용하기 전에 다음 사항들을 고려해야 한다. 첫째, 업종의 특성이다. 15:4 규칙이 모든 업종에 적용되는 것은 아니다. 특히, 서비스업, 제조업, 의료 분야 등은 24시간 운영이 필요하거나, 긴 근무 시간이 요구되는 경우가 많기 때문이다. 둘째, 기업의 규모다. 15:4 규칙은 대기업보다 중소기업에서 적용하기 어렵다. 중소 기업의 경우, 인력 부족으로 인해 15:4 규칙을 적용하면 업무량 증가, 생산성 감소 등의 문제가 발생할 수 있다. 셋째, 직원의 의견 수렴여부다. 15:4 규칙을 적용하기 전에 직원들의 의견을 충분히 수렴해야 한다. 모든 직원이 15:4 규칙을 선호하는 것은 아니다, 일부 직원들은 기존의 근무 방식을 선호할 수 있다. 여기까지는 조직 차원에서 15:4법칙과 장담점 그리고 효과에 대하여 말했다, 그 이유는 15:4법칙은 조직에만 적용해야 하는 것은 아니기 때문이다. 우리의 일상생활속에서도 충분히 적용이 가능하다.

우리는 출근전, 퇴근후,주말에 TV를 많이 본다. TV 시청 시간은 평균 3시간 30분 정도이다. 65세 이상은 4~5시간 이상을 시청하는 것으로 나타났다. 그렇다면 우리의 일상 생활속에서 할 수 있는 15:4법칙으로 하루 TV 시청 평균 4시간을 절약하기 위해서 먼저 15분을 생각하고 실천해 보자. 일상에서 15분씩의 작은 변화를 꾸준히 실천하면 하루 4시간, 한 주에 28시간, 한 달에 112시간의 시간을 절약할 수 있다. 어렵다고 생각할수 있지만 지금 바로 15분 투자를 시작하여 나에게 더 의미있는 시간을 확보하고 삶의 질을 높여보자.

[출구 팁] 하루 TV시청 4시간을 절약을 위한 하루 15분씩 작은 변화 실천하기

1. 15분 출근 전 아침 루틴(시간이 부족하면 선택 또는 여유시간이 되면 전부)
  . 일어나자마자 15분 운동: 요가 등 운동으로 혈액순환 개선, 에너지 충전
  . 15분 명상: 스트레스 감소, 마음과 정신의 안정
  . 15분 독서: 자기 계발, 새로운 지식 습득, 지적 인성 형성

2. 15분 퇴근 후 저녁 루틴(시간이 부족하면 선택 또는 여유시간이 되면 전부)
  . 15분 청소: 집중청소로 시간 절약, 쾌적한 환경분위기 조성
  . 15분 요리: 간단한 건강식 식단으로 건강 유지
  . 15분 정리: 필요한 물품만 남기고 정리하여 효율적인 공간 활용하기

. 잠들기 15전 스마트폰, PC 등 전자기기 사용하지 않기
  : 깊은 숙면

3. 주말 15분 투자 : 일주일 계획(다음주 일정과 구체적
  으로 할 일) 15분 세우기, TV 시청 시간당 15분 끄기,
  또는 연속드라마는 15분 껏다 보기

35. 배려 우선(역지사지)

배려는 타인을 생각하고 이해하는 마음에서 비롯되는 행동이다. 진심 어린 배려는 주변 사람들에게 따뜻함을 선사하고, 관계를 더욱 돈독하게 해준다. 하지만, 배려는 쉬운 일이 아니다. 상황에 따라 어떤 배려가 필요한지, 어떻게 표현해야 하는지를 고민하게 된다. 어떻게 하면 배려하는 사람이 될 수 있을까?

1. 상대방의 입장에서 생각해보기(역지사지)

배려의 첫걸음은 상대방의 입장에서 생각해보는 것이다. 상대방이 어떤 생각을 하고 있을지, 어떤 어려움을 겪고 있을지 궁금해하고 공감하는 마음이 중요하다.

2. 작은 행동으로 표현하기

배려는 항상 큰 행동으로 표현할 필요는 없다. 오히려 작은 행동들이 모여 큰 감동을 줄 수 있다. 길을 건너는 할머니를 도와주거나, 힘든 일을 하는 친구를 위해 물 한 잔 건네는 것도 배려다.

3. 적절한 타이밍을 선택하기

배려는 상황에 맞게 표현하는 것이 중요하다. 상대방이 바쁜 상황에 불필요한 도움을 주는 것은 오히려 방해가 될 수 있다. 상대방의 상황을 잘 파악하고 적절한 타이밍에 배려를 표현해야 한다.

4. 진심을 담아 표현하기

가장 중요한 것은 진심 어린 배려입니다. 겉모습만 꾸미는 배려는 오히려 상대방에게 거부감을 줄 수 있다. 진심으로 상대방을 생각하는 마음에서 표현해야 한다.

그런데, 무슨 일인지 배려가 행동으로 실천되지 않는다. 왜 그럴까? 이유가 뭘까? 그 이유는 다음과 같다. 상대방에게 먼저 다가가거나 도움을 주는 것이 부끄럽거나 어색하게 느낄 때, 특히, 친하지 않은 사람에게 배려를 표현하는 것이 더 어렵다. 상대방에게 잘못된 인상을 줄까 두려워하거나, 거절당할까 봐 망설일 수 있다. 바쁜 일상 속에서 개인적인 시간이 부족하거나 스트레스를 많이 받고 있는 경우에도 타인을 생각하기가 어렵다. 또한 타인의 감정에 무관심하거나 공감 능력이 부족한 경우에는 배려를 표현하기 어렵다. 상대방이 혼자 있고 싶은데 무리하게 함께 시간을 보내려고 하는 것도 배려가 아닌 부담으로 될 수 있다. 과거에 타인에게 배려를 표현했으나, 좋은 반응을 얻지 못한 경험이 있을 경우, 망설인다. 개인의 성격에 따라 배려를 표현하는 방식이 다르다.. 외향적인 사람은 적극적으로 배려를 표현하는 반면, 내향적인 사람은 조용히 자신의 방식으로 배려를 표현한다. 이런 이유로 배려를 이해하면서도 실천이 잘 이루어지지 않는다.

모녀가 함께 옷 사라갔을 때 상황을 배려 차원에서 살펴 보자 보자. '배려하라. 배려하라.' 하는데 뭘 배려하라는 것인지? 개념을 이해하지 못하는 사람이 있다. 그냥 남을 위해서 양보하는 수준 정도로만 알고 있다. 예를 들면, 옷을 사러 모녀가 대형마트 옷가게에 갔다. 모녀는 옷 스타일, 색깔, 취미 등이 다르기 때문에 옷을 선택하는데 있어서도 다른 선택을 한다. 엄마는 A의 옷을 선택하면 딸은 A의 옷보다 B의 옷이 더 낫다고 한다. 딸이 C의 옷이 내 스타일에 잘 어울린다고 하면 엄마는 C의 옷은 딸에게 어울리지 않는다고 한다. 엄마는 딸 옷을 사주려고, 딸은 엄마 옷을 사주려고 갔다가 옷을 사지 못하고 모녀는 서로 마음만 상하고 집으로 되돌온다.

왜 모녀는 자기의 생각과 고집만 요구했을가? 상대방의 입장을 고려하지 않고 자기 기준으로 모든 문제를 해결하려고 하기 때문이다. 문제는 상대방의 입장에서 들어주고 생각과 의견을 인정하고 존중해야만 하는데 이를 하지 않았다. 상대방의 말과 생각을 인정하고 수용하면 다 해결된다. 내 욕심과 고집을 비우고 나와 상대방은 엄연히 다름을 이해하고 인정하고 존중해 주면 된다. 이것이 공감 배려이자 실천할 수 있는 배려이다.

[출구 팁] 내가 할 수 있는 일상의 배려 따라하기

. 대중교통에서 자리를 양보하기
. 힘든 일을 하는 사람에게 도움을 주기
. 친구나 가족에게 칭찬과 격려를 아끼지 않기
. 약속 시간을 엄수하기
. 상대방의 말에 귀 기울여 경청하기
. 생일이나 특별한 날을 축하하기
. 작은 선물이나 편지를 보내기
. 힘든 상황에 처한 사람에게 위로와지지

36. 휴식과 여가공간이다(목욕탕의 효과)

한국인의 목욕 문화는 매우 오래되었으며, 삼국시대부터 시작되었다. 삼국사기에는 신라시대 사람들이 5월 단오에 강물에서 목욕하며 즐겼다는 기록이 있다. 목욕탕은 한국인의 삶과 문화에 깊이 뿌리내린 공간이다. 목욕탕은 한국의 전통 문화 중 하나로, 뜨거운 물에 몸을 담그고 피로를 풀고 건강을 증진하는 장소이다. 최근에는 다양한 시설을 갖춘 목욕탕이 많아져 단순히 목욕을 하는 것뿐만 아니라 휴식과 여가를 즐길 수 있는 공간으로 자리 잡았다. 한국 목욕탕에 들어가 무엇을 먼저 하는가? 사람마다 차이가 있겠지만 목욕탕에서 해야 할 일은 다음과 같다.

1. 받은 키와 신발을 들고 옷장에서 탈의를 한다.
2. 입구에 들어가 샤워기 앞에 선다.
3. 머리, 몸 전체를 적신다.
4. 머리를 대충 감고 면도를 한다.
5. 온탕, 냉탕, 열탕을 왔다 갔다 하며 몸을 불린다.
6. 사우나에 들어가서 진하게 땀을 뺀다.
7. 5번과 6번을 컨디션에 맞게 반복한다.
8. 하수구와 거리가 좀 있는 자리를 잡아 앉고 비누칠을 하고 때를 민다.

9. 다 밀고 행군 다음 샤워기 앞에서 샤워를 한다.

10. 출구로 나와 화장대 앞에서 머리를 말리고 로션과 스킨을 바른다.

11. 몸무게를 재본다.

12. 옷장으로 가서 옷, 양말 등을 꺼내 입는다.

13. 계란과 시원한 음료수를 먹는다.

14. 신발을 신고 목욕탕을 나온다.

한국 목욕탕에서 할 수 있는 것은 다양한 온도의 욕조(온천, 냉탕, 사우나 등)를 이용하여 혈액순환 개선, 피로 해소, 면역력 강화 등의 효과를 얻을 수 있고, 전문 마사지사의 손길로 피로를 풀고 근육을 풀수 있다. 각질 제거를 통해 피부를 매끄럽고 촉촉하게 해주고,목욕탕 내 맛있는 식사를 할 수 있는 공간이 있다. 텔레비전을 보거나 책을 읽으며 편안하게 휴식을 취할 수도 있다.

[출구 팁] 목욕탕에서 주의해야 할 사항

. 음주 후 목욕은 삼가야 한다.

. 욕조에 너무 오래 몸을 담그는 것은 건강에 해롭다.

. 목욕탕 내에서 미끄러지지 않도록 주의해야 한다.

. 개인 소지품을 잘 보관 관리해야 한다.

. 타인에게 방해가 되는 행동은 삼가야 한다.

37. 터널생각 출구를 나오다(쓸데없는 잡생각 버리기)

지금 버려야 할 생각은 무엇인가? 내 생각에 자리 잡고 있는 잡생각들에는 어떤 것들이 있는가? 생각의 시간과 공간은 더 효율적이고 생산적으로 사용할 수 없는가? 등을 생각할 필요가 있다. 이를 위해서는 먼저 바르게 생각하기를 선택할 것인지? 먼저 버려야 할 잡생각 버리기를 선택해야 할 것인지? 고려해야 한다.

먼저 바르게 생각하기를 선택했다면 이 순간에 필요한 바르게 생각하기란 무엇인가? 예를 들면, 모르는 사람과의 만남이든, 잘 아는 지인과의 만남이든 인사를 할 때 누가 먼저 손을 내밀어야 하는가? 등이 있다. 인정과 관심을 위한 악수를 청하였으나 악수가 어색한 분위기가 되지 않을까? 악수를 할 경우 손의 각도나 힘은 어떻게 해야 할 것인가? 악수는 몇 번 흔들어야 하는가? 내가 한발 앞서 손을 내밀까? 어떻게 악수해야 상대방이 기분 좋을까? 등 잡생각을 한다. 이런 잡생각을 버려야 한다. 상대방을 웃으면서 보고 악수를 먼저 청하는 것이 올바른 순서다. 손은 기울이지 말고 바로세우고 힘은 적당히 주고 손은 2~3번 정도 가볍게 흔들이 주는 것이 좋다. 이게 바르게 생각하기다.

그리고 버려야 할 잡생각 버리기를 선택했다면 이 순간에 버려야 할 잡생각이란 무엇인가? 예를 들면, 나는 설거지를 하고 있다. 어떤 접시부터 닦을가? 냄비 등 큰 것부터 아니면 숟가락, 젓가락 등 작은 것부터 닦을가? 유리컵부터 닦을가? 무엇부터 닦는 것이 더 효과적이고 시간을 낭비하지 않을가?를 생각해야 한다. 그러나 설거지 양이 많아지면 잡생각을 한다. 내가 맛있게 만든 영양식을 아들과 딸은 왜 먹다 남겨두는 걸가? 다 먹으면 안 되나?. 하면서 헛된 불만을 생각하게 된다. 이런 불필요한 생각이 바로 잡생각이다. 이런 잡생각은 나뿐만 아니라 가족 전체에 영향을 미치기 때문에 버려야 할 생각이다.

잡생각은 긍정적인 생각보다는 부정적인 생각이 더 많다. 부정적인 잡생각은 생각의 시간과 생각의 공간을 무단 점령한다. 물먹는 하마처럼 생각을 먹은 잡생각은 스트레스의 주범이다. 따라서 잡생각은 과감히 버려야 한다. 어떻게 버려야 하나?. 긍정적인 사고와 바르게 생각하기로 버려야 한다. 바르게 생각하기는 잡생각의 터널에 엉킨 터널생각(Tunnel Thinking)에서 쉽게 탈출할 수 있도록 도와준다. 쓸데없는 잡생각을 버리고 바르게 생각하기로 터널 사고(Tunnel Thinking)에서 나오는 방법을 살펴보자.

바르게 생각하기는 현실을 있는 그대로 받아들이고, 객관적인 판단을 바탕으로 문제를 해결하는 사고방식이다. 터널 사고(Tunnel Thinking)는 마치 터널 속에 갇힌 것처럼, 한 가지 생각에만 집중하고 다른 가능성이나 해결책을 고려하지 못하는 사고방식을 의미한다. 이는 주로 불안, 스트레스, 압박감 등의 감정이나 잡다한 생각이 강한 상황에서 발생한다. 터널 사고에 빠진 사람은 자신의 관점에만 갇혀 다른 가능성을 탐색하지 못하고 부정적인 생각에 집착하고 쓸데없는 잡생각에 깊이 빠져 출구로 나오기 어렵다.

이런 잡생각 터널생각에서 빠져나올 수 있는 바르게 생각하기 방법은 현재 이 순간에 집중하고, 자신의 생각과 감정을 주의 깊게 관찰하는 연습을 통해 터널 사고를 깨닫고 벗어날 수 있고, 문제 상황을 다양한 관점에서 바라보고, 여러 가지 해결책을 생각해보는 노력이 필요하다. 또한 부정적인 생각에 사로잡히지 않고, 긍정적인 가능성을 생각하며 희망적인 마음을 유지하는 것이 중요하다. 혼자서 터널 사고에서 벗어나기 어려울 경우 전문가의 도움을 받는 것도 좋은 방법이다.

[출구 팁] 올바르게 생각하기
 . 충분한 휴식을 통해 스트레스를 줄이고, 정신 건강을

유지해야 한다.

- 좋아하는 취미활동을 하면서 스트레스를 해소해야 한다

- 긍정적인 에너지를 가진 사람들과 함께 시간을 보내면 좋다

- 자신의 생각과 감정을 일기에 적어본다

- 명상으로 마음을 차분하게 하고, 객관적인 시각을 유지하는게 좋다

- 바르게 생각하기는 하루아침에 이루어지는 것이 아니다. 꾸준한 노력을 통해 터널 사고에서 벗어나 긍정적인 사고방식을 만들어나가는 것이 중요하다.

38. 외부에서 내부로(우선순위결정권 이동)

어린 시절, 우리는 부모님, 선생님 등 외부의 권위에 의존하며 산다. 먹는 것부터 입는 것, 어디를 가야 하는지까지, 거의 모든 선택이 부모님, 선생님 등 외부에 의해 결정된다. 하지만 성장하면서 우리는 점점 더 자신의 삶을 스스로 책임지고, 내부에서 우러나오는 의지에 따라 선택을 하게 된다. 이는 단순한 변화가 아니라 자아의 발견과 독립을 의미하는 중요한 성장의 과정이다.

외부에서 내부로 우선순위 결정권이 이동하는 것은 단순히 변화가 아니라 성장의 과정이다. 이 과정에서 우리는 스스로의 삶에 책임감을 갖고, 자신의 가치를 추구하며, 진정한 자아를 발견하게 된다. 물론, 이 과정은 쉽지 않다. 책임감의 무게, 선택의 어려움, 사회적 압박 등 여러 어려움에 직면하기도 한다.

어린 시절부터 성인이 되어 가는 성장의 과정에서의 우선순위 결정권 이동을 살펴보자. 부모님은 어렸을 때부터 초중고등학교 때까지 밥 먹기 전에는 손발 씻어라. 먼저 숙제하고 텔레비전을 보아라. 일찍 자고 일찍 일어나라. 친구와 싸우지 말고 사이좋게 지내라. 여자 친구와는 거리를 두어라. 명문 대학교에 가려면 열심히 공부해야 한다. 라고 주입식으로 말한다.

부모님은 우리가 대학생이 되면 집에서는 취직 준비하라고 하고, 취직하면 결혼하라고 하고, 여자는 예쁜 여자보다는 맏며느릿감 성격을 가진 착한 여자를 사귀라고 하고, 딸에게는 남자는 돈 있고 키도 크고 특히 경제력 있는 남자를 좋아하라고 하고, 학교 선생님은 친구들하고 싸우지 말고 사이좋게 지내라고 하고. 친구를 왕따 시키지 말라고 하고, 술과 담배를 하지 말고, 수업 중 선생님 인증사진 찍지 말고, 밤늦게까지 거리를 돌아다니지 말고, 동아리는 꼭 1개씩 이상 하라고 하고, 좋은 대학에 진학하고 싶으면 남들보다 더 열심히 공부해야 한다고 하고, 체육시간에 목이 말라 스포츠음료를 사 먹고 싶은데 저기 있는 수돗물을 위생상 문제 없으니 수돗물 먹으라고 하고 등등 내 생각과는 관계없이 외부(부모, 선생님 등)에서 우선순위를 부여한다. 외부(부모, 선생님 등)에서 부여한 우선순위는 뜻대로 잘 안 된다. 외부에서 주어진 우선순위가 나쁘다는 뜻이 아니다. 기존 질서의 틀과 규칙을 버리거나 바꾸어야 한다는 의미다.

자식이 성인이 되어 집을 떠나면 우선순위는 부모나 교사 등에 의한 외부 중심에서 본인 중심의 내부로 이동한다. 자신이 우선순위를 정하고 그에 따른 책임을 동반한다.

자신이 우선순위를 정하면 부모에 의한 우선순위보다 더 잘할 수 있다는 자신감을 가진다. 자신감은 우선순위를 정하는데 큰 도움을 주기 때문이다. 성인이 되면서 외부 권위로부터 스스로 선택하는 삶으로 변화한다. 이때 중요한 것은 의사결정권 이동이다.

어른이 되는 것은 흥미진진한 시간이다. 새로운 자유와 책임이 함께 찾아오며, 마침내 스스로 삶의 방향을 결정할 수 있는 기회를 얻는다. 동시에, 이러한 변화는 벅찬 경험이 될 수도 있다. 특히, 의사결정권이 외부에서 내부(나에게)로 이동하는 과정은 많은 어려움을 겪게 한다.

정보의 홍수 속에서 길을 잃지 않기 위해서는 비판적 사고 능력을 키워야 하고, 자신의 내면의 목소리에 귀 기울이는 시간을 가져야 한다. 명상, 일기쓰기, 자기 성찰을 통해 자신의 감정, 생각, 가치관을 탐색하고 이해해야 한다. 다양한 경험을 쌓는 것도 성장에 필수다. 새로운 활동과 도전을 통해 자신의 흥미와 적성을 파악하고, 다양한 사람들과의 만남을 통해 새로운 관점을 얻어야 한다. 또한, 실수를 두려워하지 않고 다양한 경험을 통해 배우고 성장하는 자세가 필요하다. 성인 초기에 혼자서 모든 것을 해결하려고 하지 않아 된다. 경험과 지혜를 가진 멘토나 조력자의 조언을 구하는 것은 성장을 촉진하는 좋은 방법이다. 끊임없는 학습과 성장은 어른이 되는 삶의 핵심이다. 새로운 지식과 경험을 습득하고, 목표를 설정하고 달성하며, 변화하는 환경에 적응해야 한다. 사회 구성원으로서의 책임감을 잊지 말아야 한다. 자신의 선택에 책임을 지고, 타인에 대한 배려가 있어야 한다. 그래야만 성인이 되어서 자신만의 길을 찾아가는 책임감있는 의사결정을 할 수 있다.

.

[출구 팁] 외부(부모,선생님 등) -> 내부(나에게)로
　　　　　　의사결정권 이동

. 어린 시절: 부모, 선생님 등 외부 권위에 의존, 선택의 주체는 외부->부모님, 선생님의 지시에 따른다.
　　　　　　선택의 폭이 좁다.

. 성인이 되면서: 내부에서 우러나오는 의지에 따라 선택, 자아 발견, 독립 -> 내가 책임지고 결정한다.
　　　　　　선택의 폭이 넓다.

39. 부모의 대리운전자(자녀는 꼭두각시가 아니다)

꼭두각시는 실을 이용하여 조종하는 인형이다. 꼭두각시는 조종자의 의지에 따라 움직이며, 스스로의 생각이나 행동을 하지 못한다. 꼭두각시 인형은 자체적으로 움직일 수 없으며, 조종자의 의도에 따라 움직임과 행동이 결정된다. 이는 마치 무대 위 배우가 대본에 따라 연기하는 것과 비슷하다.

내 자녀는 꼭두각시인가? 고민해보자. 한국의 교육열은 세계 제일이라고 한다. 과연 한국의 자녀는 부모에게 조정되는 꼭두각시인가? 한국의 사교육비를 보자. 사교육비 증가원인에 대한 학부모대상 연구결과, 사교육 증가 원인의 우선순위는 아래⟨표⟩와 같다. 이 문제는 사회가 해결해야 할 현안과제이다.

⟨표1⟩ 사교육 증가 원인 우선순위

	증가원인
1순위	취업 등에 있어 출신대학이 중요하기 때문
2순위	특목고, 대학 등 주요 입시에서 점수 위주로 학생을 선발하기 때문
3순위	대학 서열화 구조가 심각하기 때문
4순위	부모세대의 전반적인 학력상승, 저출산 등 자녀

에 대한 기대치 상승 때문

5순위	사교육이 보편화 되어 있어 사교육에 참여하지 않으면 불안하기 때문
6순위	학교교육만으로는 자녀의 특기적성을 제대로 키워주기 어려워서
7순위	과거에 비해 국민경제수준이 높아졌기 때문에
8순위	학교에서 자녀 학습관리를 개별적으로 잘해주지 못해서
9순위	학교에서 이뤄지는 진학준비, 상담, 정보 제공이 부족해서
10순위	학교에서 수준별 수업이 제대로 이뤄지지 않아서
11순위	학교시험이 학교에서 실제 배우는 내용보다 어렵게 출제되어서
12순위	학교의 학습 분위기, 학습시설 등이 좋지 않아서

출처 : 한국 교육과학기술부 교육통계과

어느 공익광고에 '부모(parents=아이의 삶 전반에 책임을 지는 존재)와 학부모(guardians=학교와의 관계에서 아이를 대표하는 존재)의 차이'라는 광고가 있어. 그 공익광고에 다음과 같은 문구가 있다.

부모는 멀리 보라하고, 학부모는 앞만 보라고 합니다. 부모는 함께 가라하고, 학부모는 앞서 가라고 합니다. 부모는 꿈을 꾸라하고, 학부모는 꿈꿀 시간을 주지 않습니다.

당신은 부모입니까, 학부모입니까?

나는 공부만 하라고 강요하는 사교육 중심의 학부모인가요? 학부모는 자신의 욕구와 욕심을 버려야 한다. 자녀는 부모의 대리운전자가 아니다. 자녀는 꼭두각시가 아니다. 학부모의 조정에 따라 움직이는 인형이 아니다. 자녀는 아직 학생이지만 독립적인 사고와 의지, 그리고 감정을 가진 존재이다. 당신의 자녀가 하고 싶은 것을 마음껏 하도록 나두어라. 관심을 가지고 믿어 줘라. 그것이 최고이자 최선이다.

[출구 팁] 부모는 자녀의 성장을 돕는 조력자이다

. 자녀의 선택을 존중하고, 자녀의 의견을 경청한다.
. 자녀가 스스로 문제를 해결할 수 있도록 격려하고
  지원한다.
. 자녀의 창의성과 자립심을 키울 수 있도록 환경을
  조성한다.
. 자녀와의 관계를 기반으로 사랑과 존중을 바탕으로
  소통한다.

40. 우연 타이밍과 비우연 타이밍(삶의 방향키)

타이밍은 어떤 행동이나 사건이 일어나는 순간이다. 흔히 말하는 "절호의 기회"를 떠올리면 이해하기 쉽다. 좋은 기회가 왔을 때 그것을 잡아낼 수 있는 능력, 이것이 바로 타이밍이다.

타이밍은 단순히 시간적 순서를 넘어, 성공과 실패를 결정짓는 중요한 요소이다. 아무리 훌륭한 아이디어나 노력도 타이밍이 맞지 않으면 좋은 결과를 얻기 어렵다. 반대로, 평범한 아이디어라도 타이밍을 잘 맞추면 큰 성공을 거둘 수 있다. 마치 컴퓨터의 키보드처럼, 우리 삶의 방향을 조정하는 방향키 역할을 한다.

타이밍은 크게 우연에 의한 타이밍과 비우연에 의한 타이밍으로 나눈다. 우연에 의한 타이밍은 예측하거나 조절하기 어려운 타이밍이다. 예를들어, 길을 걷다 우연히 오랫동안 만나지 못했던 친구를 만나는 경우가 있다. 이런 경우는 본인의 의지와 상관없이 일어나는 타이밍이다. 반면 비우연에 의한 타이밍은 자신의 노력과 준비를 통해 기회를 잡는 타이밍이다. 예를 들어, 오디션 합격이라는 결과는 단순히 운에 의한 것이 아니다. 꾸준한 연습과 노력을 통해 실력을 쌓았기 때문에 오디션이라는 기회를 잡을 수 있었다. 이런 경우는 본인의 의지와 상관되어 일어나는 타이밍이다.

우연의 타이밍은 기회의 문을 여는 행운의 키이다. 알렉산더 플레밍의 페니실린은 실수에서 자란 푸른 곰팡이에서 우연히 페니실린의 항생 작용을 발견했다. 스티브 잡스는 퇴학한 후 우연히 HP에서 캘리그래피 기술을 접하고, 이를 매킨토시에 적용했다. 비우연의 타이밍은 준비된 자에게 찾아오는 기회이다. 링컨 대통령은 수년간 연설 연습을 통해 연설 실력을 갈고 닦았고, 기회가 찾아왔을 때 완벽하게 대비했다. 마이클 조던은 수많은 연습과 노력을 통해 마지막 순간의 결승 슛을 성공시켰다.

타이밍은 삶의 방향키이다. 즉 타이밍은 우연 타이밍과 비우연 타이밍의 조합으로 이루어질 때 효과가 배가 된다. 우연의 기회를 포착하고, 비우연의 타이밍을 만들어낼 수 있는 능력을 키우면 삶의 방향키를 자신만의 손으로 조절할 수 있다.

성공의 행복은 멀리 있지 않다. 아주 가까운 내 마음과 내 주변에 널려 있다. 비우연이 타이밍을 만들기 위해서는 오늘의 일상적인 일, 내일의 일, 5년 후의 일, 10년 후의 일을 계획하고 정하면 된다. 그리고는 비우연의 타이밍을 기다린다. 일상적인 생활에서 우연과 비우연의 타이밍을 연결하면 우리의 일상적인 삶은 보다 행복한 삶으로 도약할 수 있다. 내가 필요한 우선순위를 정하고 비우연 타이밍을 기다리는 인내가 필요하다. 기다림은 시간을 낭비하는 것이 아니다. 비우연 타이밍을 위한 기다림은 내 마음의 여유와 비움의 준비시간이다. 이 시간이 늘 행복을 만드는 시간이다. 우연과 비우연의 타이밍은 시간을 관리하는 황금과도 같다. 우연과 비우연의 타이밍은 기다려주지 않는디. 우연과 비우연 타이밍은 지나가면 되돌아오지 않다. 버스정류장에서 버스를 기다리다 버스를 놓치면 다음 버스를 기다려야 한다. 버스를 놓친 것을 후회할 때가 가장 빠를 때다. 되새김하고 인지하기 때문이다. 되도록 이면 나중에 후회할 일은 지금 하지 말아야 한다. 우연과 비우연의 타이밍을 놓치는 실수나 후회를 하지 않으려면 일상생활과 조직생활에서 지금 해야 할 일은 먼저 결정해야 준비하고 노력해야 한다. 우연과 비우연 타이밍은 우선순위를 실천할 수 있는 연동 키워드이다. 우연과 비우연 타이밍은 우리 삶의 방향키가 될 수 있다

[출구 팁] 비우연 타이밍을 잡는 실천 방법

. 목표 설정: 명확한 목표를 설정하고 이를 이루기 위한 계획을 세운다.

. 정보 수집: 주변 환경과 트렌드를 파악하여 기회를 엿
   본다.

. 연습과 준비: 끊임없는 연습과 노력을 통해 기회가
   찾아왔을 때 대비한다.

. 유연성: 상황에 따라 전략을 조정하고 새로운 기회를
   찾을 수 있는 유연성을 기른다.

41. 수학보다 쉽다(삶의 사칙연산)

학교에서 배운 사칙연산 즉 더하기, 빼기, 나누기, 곱하기의 계산에 대하여 알고 있다. 이 사칙연산에도 우선순위가 있다. 우선순위는 왼쪽에서 오른쪽으로 차례대로 하되, 곱하기와 나누기를 먼저 계산한다. 그 다음은 더하기와 빼기를 계산한다. 하지만 곱하기와 나누기를 나누기와 곱하기로, 더하기와 빼기를 빼기와 더하기로 하던 이 계산은 우선순위와 관계없다. 괄호가 있는 경우는 괄호가 사칙연산보다 우선한다. 연산의 우선순위는 괄호 안의 수식 → 지수 및 근호 → 곱하기와 나누기 → 더하기와 빼기 순이다. 연산의 우선순위가 높은 순위부터 예시하면 다음과 같다.

① 괄호 안의 수식 : $3 \div (2-1) = 3 \div 1 = 3$

② 지수 및 근호 : $-2^{2} = -(2 \times 2) = -4$,

$$\sqrt{3+1} \times 2 = \sqrt{4} \times 2 = 2 \times 2 = 4$$

③ 곱하기와 나누기 : $1+2 \times 3 = 1+6 = 7$, $1+2 \div 1 = 1+2 = 3$

④ 더하기와 빼기 : $3+2-1 = 4$

만약 연산의 우선순위를 계산하지 않고 계산한다면 계산 결과는 다르다. 연산의 우선순위에 의한 곱하기를 먼저 계산한 경우 2×3을 먼저 계산한 다음 1을 더하면

1+2×3=1+6=7이 나온다. 하지만 연산의 우선순위와 관계없이 차례대로 계산한 경우 1+2를 먼저 계산한 다음 3을 곱하면 1+2×3=3×3=9가 나온다. 이렇듯 연산의 우선순위가 달라지면 계산 결과도 달라진다.

사칙연산의 우선순위를 우리의 삶의 문제와 연결해 풀이하면 재미있다. 우리의 마음은 늘 걱정과 근심으로 가득하다. 자녀문제, 중고등학교 진학문제, 대학문제, 애인문제, 취업문제, 결혼문제, 집 구입문제, 건강문제, 가족문제, 사회문제 등등 내 삶과 그 주변에서 일어나는 문제를 고민한다. 이런 문제가 우리를 긍정적인 생각보다는 부정적인 생각을 우선하게 한다. 부정적인 생각을 사칙연산의 우선순위처럼 하면 긍정적인 생각으로 전환할 수 있다.

자신에게 직면한 문제에 걱정과 근심을 곱(×)하면 머리뿐 아니라 마음도 아프다. 먼저 자신에게 직면한 문제를 가족, 친구, 동료, 지인과 함께 나누어야(÷) 한다. 나눈다(÷)는 의미는 자신에게 직면한 문제를 여러 명과 함께 풀면 짐의 무게를 덜 수 있다는 뜻이다. 여러 명의 조언과 의견을 모아(+) 자신의 관점이 아닌 각도에서 보면 문제의 해결책을 찾을 수 있다. 이제까지 가지고 있는 자신의 문제와 걱정거리들을 모두 빼(-) 버리면 된다. 그러면 부정적인 생각이 긍정적인 생각으로 전환된다. 여기서 전환된다는 의미는 부정적인 생각이 긍정적인 생각으로 바꾸면 행동도 긍정적인 방향으로 바꾼다는 뜻이다. 이처럼 우선순위를 무엇으로 하느냐에 따라 자신이 변화하고 있다는 사실을 발견하게 될 거다. 생각은 누구나 하나 행동은 누구나 할 수 있는 것이 아니기 때문이다. 우리의 일상적인 삶은 사칙연산과 같다. 더하기, 빼기, 곱하기, 나누기를 균형있게 하여 행복한 삶을 살아보자

더하기 + : 삶의 경험, 지식, 관계 등을 쌓는 과정. 새로운 것을 배우고 경험하며 성장하는 과정이다. 우리의 삶과 행복의 가치를 더해준다.

(예시 새로운 취미 배우기, 여행, 독서, 인맥 형성, 자원봉사 등)

빼기 - : 분수에 넘치게 무엇인가를 탐내는 욕심, 이기심, 불만, 태만, 비방 등 부정적인 사고와 행동은 제거하거나 과거의 상처, 나쁜 습관, 부정적인 관계 등을 빼내는 과정이다.

(예시: 과거의 실수용서하기, 나쁜습관 개선, 부정적인 관계단절, 스트레스 해소 등)

곱하기 × : 긍정적인 경험, 관계, 노력을 통해 삶의 가치

를 높이는 과정. 목표를 향해 꾸준히 노력하고, 다른 사람들과 협력하며 성취하는 과정이다. 서로 돕는 행위는 곱하고 롭할수록 그효과는 배가된다.

(예시: 목표설정 및 달성, 긍정적인 관계형성, 열정적인 일 몰두, 팀워크 및 협력, 양보 등)

나누기 ÷ : 자신의 경험, 지식, 시간, 사랑 등을 타인과 나누는 과정. 사회에 기여하고 다른 사람들을 돕는 과정이다. 다른 사람을 위해 함께 나누어 봉사하는 자원봉사는 기쁨이 배가 되고, 가족, 친구, 이웃 등의 시련, 아픔, 슬픔, 마음의 상처 등을 함께 나누고 또 나누면 마음의 안녕을 쉽게 찾을 수 있어 좋다.

(예시: 자원봉사, 기부, 멘토링, 조언, 사랑과 감사 표현 등)

삶의 사칙연산은 균형이 중요하다. 더하기, 빼기, 곱하기, 나누기의 균형이 중요하다는 의미다. 지나치게 더하기만 하면면 과부하, 스트레스, 번아웃 가능성이 높다. 지나치게 빼기만 하면 공허함, 무기력, 우울감 가능성이 높기 때문이다. 삶의 사칙연산은 단 한 번에 완성되는 것이 아니다. 끊임없이 반복되고 발전하는 과정이다. 어려움과 실패를 겪더라도 포기하지 않고, 꾸준히 노력하며 균형 잡힌 삶을 추구할 때, 우리는 진정으로 풍요로운 삶을 만끽할 수 있을 것이다.

[출구 팁] 삶의 사칙연산 잘 활용해 삶을 즐기는 방법

연산	삶의 목표 설정	균형 잡힌 삶 추구	긍정적 사고방식 유지	능동적인 삶의 태도
덧셈	다양한 경험과 지식축적	부족한 분야 채우기	작은 성공과 행복 모으기	새로운 도전과 시도
뺄셈	불필요한 부담 제거	과도하게 집중하는 분야 조절	부정적인 생각과 감정 떨쳐 버리기	답답한 상황에서 벗어나기
곱셈	소중한 사람들과 관계 돈독하게 하기	여러 분야 경험 조합	긍정적인 사람들과 교류	다양한 사람들과 협력
나눗셈	사회 기여 및 의미있는 삶	시간과 에너지 적절 분배	감사하는 마음으로 긍정적인 측면에 집중	자신의 능력 나눔으로 세상에 긍정적 영향

42. 나를 경영한다(마음에서 시작한다)

경영은 공공기관, 기업체, 비영리단체 등 조직이나 단체만
하는게 아니다. 나를 경영해야 한다. 나를 경영한다는 것
은 내 마음에서부터 시작한다. 마음이 정리되고 정렬되어
있지 않으면 좋은 결과를 얻을 수 없다. 우주의 원리와
질서가 있듯이 사람의 마음에도 질서가 있어야 한다.

예를들면, 컴퓨터는 입력, 저장, 제어, 연산, 출력으로 작
동하고. 자동차는 연료주입, 시동, 엔진, 변속기, 구동장
치, 바퀴로 움직인다. 우선순위가 바뀌면 작동이 되지 않
는다. 자동차는 동력이 전달되는 시간적 우선순위와 운전
자의 공간적 우선순위가 있다. 자동차 시간적 우선순위는
연료를 주입하고 시동을 건다. 엔진이 작동하면 변속기를
파킹에서 D에 놓는다. 구동장치를 통해 바퀴가 굴러간다.
시간상으로 순서가 정해져 있다.

반면 자동차 운전자의 공간적 우선순위는 운전자가 운전
석에 앉은 공간이 필요하다. 그 다음은 방향을 잡아줄 핸
들과 조향장치이고 어느 정도 속도로 갈 것인가 하는 변
속기어와 목적지를 알려주는 내비게이션이 있다. 공간적
으로 위치 변경이 가능하다. 시간적 우선순위와 공간적
우선순위가 교차하는 곳이 가장 중요하다. 가장 중요한

것은 운전자의 마음에 따라 모든 것이 결정된다는 사실이
다. 우리의 마음 역시 시간적 우선순위와 공간적 우선순
위가 필요하다. 매번 그때 그때 상황에 따라 마음이 바뀌
듯 마음에 따라 생각과 감정의 대상도 바뀐다. 마음의 시
간적 우선순위는 규칙과 원리에 따르는 것이 좋다. 반면
마음의 공간적 우선순위는 넉넉하고 여유로운 것이 좋다.
이 둘이 교차하는 곳의 마음이 가장 중요하다.

우리의 삶과 일의 중요도에 따라 우선순위가 있듯이 우리
의 마음에도 우선순위가 있다. 우리는 로봇 장난감을 사
조립할 때 설명서대로 하지 않으면 조립하기가 쉽지 않
다. 우리의 마음도 우선순위를 정하지 않고 마음 내키는
대로 하면 뜻하는 대로 풀리지 않는다. 그래서 마음이 불
쾌해진다. 불쾌한지 이유는 자신의 마음을 통제하기가 어
렵기 때문이다. 내 마음의 우선순위를 긍정에 두느냐, 부
정에 두느냐, 행복에 두느냐, 도전에 두느냐, 좌절에 두느
냐에 따라 마음의 평화를 얻을 수도 있고 마음의 전쟁터
로 갈 수도 있다.

그렇다면 마음의 우선순위라는 것은 무엇인가? 예를들면,
점심때 직장 상사와 한식을 먹으러 갔다면 A직원은 된장
국이 먹고 싶고 B직원은 해장국이 먹고 싶고 C직원은 콩
나물국을 먹고 싶은데, 직장 상사는 김치찌개를 먹자고

해 어쩔 수 없이 일괄적으로 주문했다고 하자. 이때 A직원은 된장국으로, B직원은 해장국으로, C직원은 콩나물국으로 점심을 먹었으면 하는 마음으로 가득 차 있었다. 그러나 내 마음과는 관계없이 직장 상사의 주문대로 어쩔 수 없이 먹는 경우가 많다. 우선순위가 바뀌어 점심을 먹고도 만족스럽지 못한 결과를 초래하게 된다. 이런 상황을 해소하기 위해서 A직원, B직원, C직원은 마음의 우선순위를 바꿀 필요가 있다. 내가 먹고 싶은 점심을 먹지 못하였더라도 이 음식을 먹으며 엄마의 손맛을 느낄 수 있어 좋고 나트륨이 적은 건강식 김치찌개이니깐 내 건강에도 좋다는 마음으로 식사를 하면 만족스러운 점심식사가 된다. 마음의 우선순위를 그때 그때의 중요도에 따라 행복과 자기효능감이 높은 곳에 두면 마음의 평화를 얻을 수 있다.

시간적으로 무엇이든 긍정을 먼저 나 자신의 마음속에 심어놓으면 마음의 시간적 우선순위는 고정된다. 또한 의도된 공간과 부정적인 감정의 공간에 묶여있을 때 이를 넉넉하고 여유로운 긍정적 공간으로 전환시키면 마음의 공간적 우선순위도 고정될 수 있다. 시간적·공간적 우선순위가 교차하는 곳이 가장 중요한 마음의 평화가 움직이는 행복 영역이기 때문이다.

[출구 팁] 마음으로 시작하는 4단계와 실천 예시

단계	설명	실천 예시
자각	마음 상태를 관찰하기	1.명상(장소와 시간): 매일 10분씩 명상하며 마음을 다스린다 2.감정 일기: 하루 동안 느꼈던 감정을 기록하고, 감정의 원인과 결과를 분석한다.
의지	목표 설정하기	1. 스마트 목표 설정: SMART(Specific, Measurable, Achievable, Relevant, Time-bound) 기법을 활용하여 목표를 설정한다. 2. 비전 보드 만들기: 목표를 이미지와 글로 표현하여 시각적으로 확인할 수 있도록 한다
행동	목표를 향한 구체적인 행동	1. 일일 계획 수립: 매일 아침, 오늘 해야 할 일을 목록화하고 우선순위를 정한다. 2. 습관 형성: 목표 달성에 도움이 되는 긍정적인 습관을 기르고, 부정적인 습관을 개선한다.
지속	꾸준한 노력과 끈기	1. 동기 부여 유지: 목표를 달성했을 때의 장점을 상상하고, 긍정적으로 반복한다. 2. 멘토 찾기: 목표 달성에 도움을 줄 수 있는 멘토나 조력자를 찾는다.

43. 비언어 바디랭귀지(몸짓 거짓과 진실을 파헤치다)

몸짓 언어는 말을 사용하지 않고 몸짓, 표정, 시선 등을 통해 의사소통하는 방법이다. 손, 발, 얼굴, 다리, 시선, 입 등을 사용하여 다양한 감정을 표현할 수 있으며, 문화적 배경에 따라 의미가 다를 수 있다.

바디랭귀지는 말보다 더 많은 정보 전달한다. 몸짓은 말보다 더 많은 정보를 빠르게 전달할 수 있다. 예를들면, 회의에서 발표하는 사람이 팔짱을 낀다면 이는 방어적인 태도를 의미하고, 발표 내용에 자신이 없거나, 다른 사람들의 의견을 받아들이지 않으려는 태도를 나타낼 수 있다. 상대방과 이야기할 때 시선을 맞추는다는 것은 상대방에게 관심이 있고, 진심으로 대화하려는 의지를 나타낸다. 친구를 만났을 때 웃는다는 것은 기쁘고 행복한 감정을 표현하는 것이다.

바디랭귀지는 말과의 불일치할 때가 있다, 말은 거짓말을 할 수 있지만, 몸짓은 거짓말하기 어렵다. 몸짓을 통해 진실을 파악할 수 있다. 누군가가 "괜찮아"라고 말하면서도 찌푸린 표정을 짓는다면 실제로는 괜찮지 않고, 속상하거나 불쾌한 감정을 느끼고 있을 가능성이 있다. 면접에서 지원자가 과장된 제스처를 사용한다면 자신감 부족을 감추거나, 거짓말을 하고 있을 가능성이 있다.

바디랭귀지는 진실을 파악할 수 있다. 몸짓의 의미를 이해하면 상대방의 진심을 파악하고 의도를 짐작할 수 있다. 예를들면, 상거래 협상에서 상대방의 몸짓을 관찰하여 진짜 의도를 파악하면 상대방이 제안하는 조건에 만족하는지, 다른 의도가 있는지를 알 수 있다. 연애 상대의 몸짓을 통해 감정을 확인한 경우에는 상대방이 자신에게 호감을 느끼는지, 아니면 다른 사람에게 관심이 있는지를 알 수 있다.

바디랭귀지를 효과적으로 사용하는 방법으로 첫째, 적절한 시선을 유지하는 것이다. 상대방의 눈을 바라보며 대화하는 것은 진심, 관심, 존중의 표현이다. 반면 시선을 분산하거나 지나치게 뚫어지르는 시선은 불편함을 줄 수 있다. 둘째, 자신감 있는 자세를 유지하는 것이다. 허리를 곧게 펴고 어깨를 편안하게 유지하면 자신감, 능동성, 긍정적인 태도를 보여준다. 반면 팔짱을 끼면 방어적이거나 불편한 태도를 보일 수 있다. 상대방에게 압박감을 주거나 불편함을 느끼게 하지 않도록 주의합니다. 세째. 적절한 제스처를 활용한다. 손짓, 발짓, 표정을 활용하여 말을 강조한다. 청중의 이해를 돕고, 메시지를 명확하게 전달할 수 있기 때문이다. 과장된 제스처 불안, 거짓말, 의심을 불러일으킬 수 있다. 일부 제스처는 문화마다 다른 의미를 가지고 있다. 넷째, 적절하게 표정을 관리한다. 억지로 웃거나 찌푸린 표정은 불편함, 거짓말, 불신을 불러일으킬 수 있고, 눈썹, 입꼬리 등 미세한 표정은 섬세한 감정을 표현할 수 있다. 예로, 친구를 만났을 때 밝은 표정으로 인사한다. 긍정적인 감정을 표현하고 관계를 돈독하게 할 수 있다. 상대방의 이야기를 진심으로 경청하며 고개를 끄덕이고 미소 짓는다. 비판을 받을 때 진지한 표정으로 경청하고 답변한다. 다섯째, 적절한 촉각적 접촉을 한다. 상황에 맞는 촉각적 접촉은 친밀감, 동정, 지지, 위로를 표현된다. 단 과도한 촉각적 접촉은 상대방에게 불편함을 준다. 일부 국가에서는 촉각적 접촉을 꺼려할 수 있다. 여섯째, 바디랭귀지의 일관성을 유지한다. 말과 몸짓이 일치은 진실, 진심, 신뢰감을 주는 핵심 요소이고, 말과 몸짓 불일치는 거짓말, 불안, 의심을 불러일으킬 수 있다. 즉 "기쁘다"라고 말하면서 웃는 표정은 진심을 표현이지만 "싫다"라고 말하면서 고개를 끄덕이는 몸짓은 혼란을 야기한다. 일곱째, 목소리를 활용한다. 적절한 목소리 톤, 속도, 강도가 중요하다. 상황에 맞는 목소리를 사용해야한다. 격식을 갖춘 자리와 편안한 자리를 구분해야 한다. 즉 발표 시 목소리 톤을 높혀 청중의 집중력 유지하고 친구와 대화시는 목소리 톤을 낮추고 편안한 분위기 조성해야 한다. 여덟째, 맥락을 고려해야 한다. 바디랭귀지는 상황에 따라 의미가 달라질 수 있다.

회의 중 팔짱을 끼는 것은 방어적인 태도를 나타낼 수 있지만, 추운 환경에서는 단순히 추위를 피하기 위한 행동일 수 있고, 면접 중 긴장으로 인해 시선을 피하는 것은 거짓말을 의미하는 것이 아니라, 긴장감일 수 있다. 연설 중 웃는 것은 긍정적인 반응을 나타낼 수 있지만, 연설 내용에 대한 비웃음을 일 수도 있다. 상황적 맥락을 알고 해석하는게 좋다.

[출구 팁1] 거짓된 몸짓을 알아보는 관찰법

1. 말과 몸짓의 불일치: 말은 진실하지만 몸짓은 거짓을 드러낼 수 있다. 예를 들어, "좋아요"라고 말하면서 찡그리는 표정을 지으면 거짓말 가능성이 있다.

2. 과장된 몸짓: 과장된 몸짓은 진실성을 떨어뜨릴 수 있다. 예를 들어, 지나치게 큰 소리로 웃거나 손짓을 크게 하는 것은 거짓말을 감추기 위한 의도적인 행동일 수 있다.

3. 불일치하는 표정과 시선: 표정과 시선이 말과 일치하지 않으면 거짓말 가능성이 있다. 예를 들어, "죄송합니다"라고 말하면서 눈을 피하거나 찡그리는 표정을 지으면 진심으로 사과하지 않는 것일 수 있다.

4. 반복적인 몸짓: 특정 몸짓을 반복적으로 하는 것은 불안감, 긴장감, 거짓말 가능성을 나타낼 수 있다. 예를들어, 손가락을 꼬옥 쥐거나, 옷깃을 만지작거리는 것은 거짓말을 감추기 위한 의도적인 행동일 수 있다.

[출구 팁2] 몸짓의 의미

몸짓	의미
손짓	
손바닥을 위로 향하게 펴서 내민다	진실, 솔직함, 협조
손바닥을 아래로 향하게 펴서 내민다	권위, 지배, 명령
손가락을 꼬옥 쥔다	긴장, 불안, 억압
손을 깍지 낀다	자신감, 능숙함, 통제
발짓	
발을 꼼지락거린다	조급함, 불안함, 흥미 부족
발을 넓게 벌리고 서있다	자신감, 위엄, 공격적인 태도
발을 가지런히 모아서 서있다	긴장, 불안, 수줍음
얼굴 표정	
미소 짓는다	친절, 호감, 긍정적인 감정
찡그린다	불쾌, 혐오, 부정적인 감정
눈썹을 찌푸린다	궁금증, 의심, 불신
눈을 크게 뜬다	놀람, 흥미, 집중
시선	
상대방의 눈을 바라본다	자신감, 진실, 솔직함
상대방의 눈을 피한다	거짓, 불안, 죄책감
시선을 옮긴다	지루함, 불안, 흥미 부족
입	

입술을 핥는다	긴장, 불안, 거짓말 가능성
입술을 깨물는다	억압된 감정, 불만, 화가 난 상태
입꼬리가 살짝 올라간다	긍정적인 감정, 호감, 유머 감각

#. 몸짓 해석의 주의점

1. 몸짓은 문화, 상황, 개인에 따라 다르게 해석될 수 있다.
2. 단순히 몸짓 하나만으로 판단하기보다는 여러 몸짓을 종합적으로 고려해야 한다.
3. 몸짓 해석은 참고만하고, 섣부른 판단은 피해야 한다.

44. 말말말(6개의 말에 타다)

우리는 말하기를 좋아한다. 두서없이도 말하기를 좋아한다. 말을 하다보면 실언을 하는 경우가 있다. 말을 하다보면 말하려는 방향과 경계를 잃어버린다. 이로 인해 말을 한 사람과 말을 들은 사람은 말의 미로에 빠지거나 오해를 한다. 말에는 말의 경계, 말의 무게, 말의 통제, 말의 깊이와 넓이가 있다. 말은 듣는 사람이 이해하고 공감할 수 있는 말이 의미있는 말이다. 말은 인간의 가장 강력한 소통도구 중 하나다. 우리는 말을 통해 생각을 전달하고, 관계를 형성하고, 세상을 변화시킬 수 있다. 하지만 말은 동시에 날카로운 칼날과 같다. 조심하지 않으면 상처를 주고, 관계를 악화시키고, 심지어 세상을 파괴할 수도 있다. 말하는 사람과 듣는 사람 모두 소통도구인 말에 대해서 알 필요가 있다.

첫째. 말의 경계다. 말은 침묵의 벽을 허물고 서로의 마음을 연결하는 다리 역할을 한다. 숨겨진 생각과 감정을 표현하고, 이해와 공감을 이끌어 내는 소통의 촉매제이다. 말은 단순한 정보 전달을 넘어, 유머, 풍자, 상징 등 다양한 방식으로 표현되어 감정을 전달하고 새로운 의미를 창조한다. 언어의 경계를 넘나드는 춤은 예술적 표현의 중요한 요소이다. 가까운 관계일수록 말이 경계가 무너진다. 함부로 사용된 말은 상대방을 상처 입히거나 오해를 불러일으킬 수 있다. 책임감 있는 언어 사용을 통해 말의 경계(울타리)를 세우고, 소중한 관계를 지켜나가는 것이 중요하다.

말의 경계를 넘는 무책임한 발언은 갈등을 유발하고 관계를 악화시킬 수 있다.

둘째, 말의 무게다. 말해 놓고 후회할 때가 많다. 거짓말은 엄청난 무게를 지니고 상대방을 짓누른다. 말의 무게를 깨닫고 진실과 책임감 있는 언어 사용을 해야 한다. 말의 무게를 헤아리지 않고 함부로 발언하는 것은 심각한 결과를 초래할 수 있다. 거짓 정보는 사회 혼란을 야기하고 심각한 피해를 입힐 수 있고, 약속을 어기는 말은 신뢰를 깨뜨리고 관계를 악화시킬 수 있다.

셋째. 말의 통제다. 말은 가르치는 수단이 아니다. 감정에 휩쓸려 함부로 말하는 것은 후회를 불러일으킨다. 말의 고삐를 잡고, 생각을 정리하고, 적절한 말을 선택하는 것이 중요하다. 말은 사람들을 설득하고 행동을 유도하는 강력한 힘을 지녔다. 말을 하지 않음으로써 상황을 진정시키거나, 더 깊은 생각을 할 수 있는 시간을 확보할 수 있다. 침묵은 말만큼 강력한 의사소통의 도구가 될 수 있다.

넷째. 말의 깊이다. 진정한 소통은 단순한 정보 전달을 넘어, 서로의 마음과 영혼을 연결하는 깊은 경험이다. 솔직하고 진솔한 말은 진정한 공감과 이해를 이끌어낸다. 섬세하고 풍부한 표현은 말의 깊이를 더욱 증폭시킨다. 문학 작품 속 섬세한 표현은 독자의 마음을 움직이고 새로운 감동을 선사한다. 깊이 있는 생각과 감정을 담은 말은 오랫동안 사람들의 기억 속에 남는다. 말의 깊이로는 마틴 루터 킹 주니어의 "나는 꿈을 꾼다" 연설이다. 평등과 자유에 대한 깊은 말의 메시지를 전달하여 사람들에게 영감을 주었다.

다섯째, 말의 넓이이다. 말은 다양한 방식으로 표현되어 세상의 풍부함을 담아낸다. 문학, 음악, 영화 등 다양한 예술 분야에서 말은 세상을 이해하고 표현하는 중요한 도구이다. 새로운 언어를 배우고 다른 문화를 접하면서 말의 지평을 넓힐 수 있다. 다양한 관점과 가치관을 이해하고 세상을 보는 시야를 확장할 수 있다. 상황에 맞는 적절한 말을 사용하는 것은 사회생활에서 중요한 역할을 한다. 외국어를 배워 말하는 것은 다른 문화를 이해하고 새로운 사람들과 소통할 수 있는 기회를 제공한다.

여섯째, 말의 농도다. 핵심을 찌르는 간결한 말은 많은 말보다 더 강력한 힘을 지닌다. 명확하고 간결한 표현은 메시지를 효과적으로 전달하면 된다. 말의 빈 공간은 상상력을 자극하고 더 많은 의미를 담아낼 수 있다. 암시적인 표현은 독자들에게 해석의 여지를 제공하고 작품의 깊이를 더한다. 불필요한 말을 제거하고 핵심을 강조하여 말의 농도를 높일 수 있다. 간결하고 명료한 표현은 말의 효과를 극대화할 수 있다. 훌륭한 연설가는 간결하고 강력한 말로 사람들의 마음을 사로잡는다.

말의 6가지 다양한 유형을 잘 이해하고 멋진 말을 능숙하게 사용하면 삶의 성공과 행복은 반드시 따라 붙을 것이다.

[출구 팁1] 말의 6가지 유형
　　　(경계, 무게, 통제, 깊이, 넓이, 농도) 이해하기

	정의	예시
말의 경계	말의 범위, 어디까지 표현할 수 있는지	말의 울타리: 무책임한 발언은 갈등을 유발하고 관계를 악화시킨다
말의 무게	말의 영향력, 얼마나 강력한 영향을 미치는지	하늘을 찌르는 함성: 정의로운 목소리를 내는 언론인은 사회 변화를 이끌어내는 중요한 역할을 한다.
말의 통제	말을 조절하는 능력, 감정에 휩쓸리지 않고 적절하게 말하는 능력	침묵의 힘: 적절한 침묵은 상대방의 말에 귀 기울이고 진심으로 소통하려는 의지를 보여준다 예)최근 MZ세대 : 조용한 카페
말의 깊이	말의 진지함, 진실과 진정성이 담긴 말	말의 밑바닥에 숨겨진 진실: 시인의 시는 아름다운 언어로 감정을 표현하고 새로운 경험을

	말의 범위,	제공한다.
말의 넓이	말의 범위, 다양한 분야에 대한 지식을 담은 말	다양한 사람들과의 대화: 다양한 사람들과의 대화는 새로운 관점과 생각을 배우는 기회가 된다.
말의 농도	말의 강도, 진정성과 감동이 담긴 말	말의 향기: 유머, 재치, 풍자 등을 사용하여 말의 농도를 높일 수 있다.

[출구 팁2] 말을 잘하는 방법

1. 경청: 상대방의 말을 주의 깊게 경청하고 이해하려 노력해야 한다.
2. 공감: 상대방의 입장에서 생각하고 공감하는 태도를 보인다.
3. 진실성: 진솔하고 솔직한 태도로 말한다.
4. 명확성: 명확하고 간결하게 말한다.
5. 적절성: 상황과 상대방에 맞는 말을 선택한다.
6. 연습: 꾸준히 연습하고 노력한다.

45. 사랑, 칭찬, 인정을 받고싶다(이말을 듣고 싶다)

사랑받고, 칭찬받고, 인정받고 그말을 듣고 싶어하는 것이 인간의 본성이다. 부모로부터, 친구로부터, 선생으로부터, 직장 동료나 상사로부터, 리더로부터 사랑, 칭찬, 인정을 받고 싶고 이말을 듣고 싶다. 이는 상대방으로부터 받는 것이다. 하지만 사랑, 칭찬, 인정은 받는 것보다 주는 것이 먼저다. 내가 주어야 상대도 나에게 준다는 인간 본능 중 하나이기 때문이다. 주는 것이 받는 것보다 더 행복하다라는 말처럼, 사랑, 칭찬, 인정을 받고 싶다면 먼저 상대방에게 주는 것부터 시작해야 한다. 사랑, 칭찬, 인정을 받고 싶을때와 사랑, 칭찬, 인정을 배풀 때 그것들이 자연스럽게 내 감정에 들어오는 것을 느낄수 있다.

첫째, 상대방으로부터 사랑, 칭찬, 인정을 받고 싶을때 사랑, 칭찬, 인정에 무관심한 사례, 말로 표현하는 방법, 말로 표현하는 예시를 하나 하나 살펴보자.

1. 사랑
1) 사랑에 무관심한 사례
    . 무관심이다 : 파트너가 중요한 이야기를 할 때 딴짓을 하거나, 답변을 함부로 넘기는 경우이다
    . 비교하는 것이다 : 다른 사람과 비교하거나, 부족한 부분을 지적하며 깎아내리는 경우이다

. 감정표현 부족이다: "사랑해" 라는 말이나 애정 표현을 거의 하지 않는 경우이다

2) 그렇다면 사랑을 말로 표현하는 방법

. 직접적 표현이다: "사랑해", "너는 내게 소중한 사람이야", "너 없이는 못 살 것 같아" 와 같은 직접적으로 사랑한다는 표현을 한다.

. 감사 표현이다: "늘 내 곁에 있어줘서 고마워", "너 덕분에 행복해", "내가 가진 모든 게 너 덕분이야" 와 같은 감사한다는 표현을 한다.

. 애정적인 행동: 포옹, 키스, 손잡기 등의 애정적인 행동을 한다.

. 칭찬과 격려: "너는 정말 멋진 사람이야", "네가 할 수 있다고 믿어", "항상 응원할게" 와 같은 칭찬과 격려를 한다.

3) 사랑한다는 표현의 예시

. "오늘 정말 지쳤는데, 맛있는 저녁 만들어줘서 정말 고마워. 사랑해."

. "힘든 일이 있었을 때 항상 내 곁에 있어줘서 정말 감사해. 너 덕분에 힘을 낼 수 있어."

. "너는 내가 만난 사람 중 가장 똑똑하고, 재미있고, 매력적인 사람이야. 너를 사랑하게 되어 정말 행복해."

2. 칭찬

1) 칭찬에 무관심한 사례
 . 노력을 무시한다: 노력하고 한 일을 당연하게 여기고 칭찬을 하지 않는 경우이다
 . 비판만 한다: 부족한 부분만 지적하고, 긍정적인 부분을 칭찬하지 않는 경우이다
 . 형식적이고 일률적인 칭찬이다: 구체적인 칭찬보다는 "잘했어", "멋있어" 와 같은 일반적인 칭찬만 하는 경우이다

2) 그렇다면 칭찬을 말로 표현하는 방법
 . 구체적으로 칭찬한다: "네 발표 정말 잘했어. 특히 자료 조사 부분이 정말 꼼꼼했고, 설명도 쉬웠어."
 . 노력에 대해 칭찬한다: "수고 많이 했어. 그동안 열심히 준비하는 모습을 보면서 정말 자랑스러웠어."
 . 비교 없이 칭찬한다: "다른 사람과 비교할 필요 없이, 너는 너 스스로 충분히 훌륭한 사람이야."
 . 진심 어린 칭찬을 한다: 진심으로 칭찬하는 마음을 표현하는 것이 중요하다
3) 칭찬한다는 표현의 예시
 . "새로운 프로젝트를 잘 마무리해서 정말 자랑스럽다. 밤낮없이 노력하는 모습을 보면서 정말 많이 배우고 있어."
 . "너의 그림 정말 예쁘다. 색감 선택도 좋고, 표현도 섬

세해서 감동했어."

. "너의 프레젠테이션 정말 인상적이었어. 자신감 넘치는 모습도 좋았고, 내용도 잘 전달했어."

3. 인정

1) 인정에 무관심한 사례

. 성과를 무시한다: 노력하고 이룬 성과를 인정하지 않거나, 가볍게 여기는 경우이다

. 비교 대상으로 삼는다: 다른 사람과 비교하며, 부족한 부분을 강조하는 경우이다

. 기대만 강조한다: 가능성을 인정하지 않고, 기대만 강요하는 경우이다.

2) 그렇다면 인정을 말로 표현하는 방법

. 성과를 인정하다: "네가 이룬 성과 정말 대단해. 굉장히 자랑스럽고, 앞으로도 더 잘 해낼 거라고 믿어."

. 개성을 존중한다: "너는 너 스스로의 방식으로 잘 해내고 있어. 너만의 장점을 잘 살려서 앞으로도 나아가길 바라."

. 잠재력를 인정한다: "너는 잠재력이 정말 많아. 계속 발전해 나가는 너의 모습을 응원할게."

. 경청과 공감을 한다: 상대방의 이야기를 주의 깊게 들어주고, 공감하는 태도를 보여주는 것도 중요하다.

3) 인정한다는 표현의 예시

- "어려운 과제였지만 포기하지 않고 끝까지 해낸 모습 정말 대단했어. 너의 끈기와 노력을 자랑스럽게 생각해."
- "새로운 분야에 도전하면서 많은 어려움도 있었겠지만, 잘 해내고 있어. 앞으로도 계속 응원할게."
- "네 아이디어 정말 흥미롭고 창의적이야. 너의 독창적인 생각을 펼쳐나가는 모습 기대할게."

둘째, 사랑, 칭찬, 인정을 베풀 때(줄 때)

우리 모두는 사랑, 칭찬, 인정의 감정을 받고 싶어 하지만, 먼저 주는 자세가 우선이다. 상대방에게 먼저 사랑, 칭찬, 인정을 베풀 때, 자연스럽게 그 감정들이 돌아오는 것을 경험할 수 있다.

1. (사랑, 칭찬, 인정) 주는 마음으로 시작하기
- 기대 없이 베푼다: 상대방에게 사랑, 칭찬, 인정을 베풀 때, 보답을 기대하지 않는 진심 어린 마음이 중요하다.
- 상대방의 입장에서 생각한다: 상대방이 원하는 것이 무엇인지, 어떤 표현을 좋아하는지 고려한다.
- 작은 것부터 시작한다: 큰 행동보다는 일상 속에서 작은 관심과 배려를 표현하는 것이 중요하다.

2. 구체적인 표현 사용하기
- 직접적으로 표현한다: 먼저 "사랑해", "잘했어", "고마

워" 와 같은 직접적인 표현을 사용한다.

. 구체적인 칭찬: 먼저 "오늘 옷 정말 잘 어울려", "프레
젠테이션 잘 했어" 와 같이 구체적인 내용을 칭찬한
다.

. 먼저 진심 어린 마음으로 표현한다.

3. 상대방의 반응 관찰하기

. 반응에 맞춰 조절한다: 상대방의 반응을 살펴보면서
어떤 표현을 좋아하는지, 어떤 방식으로 베풀어야 하
는지를 조절하는 것이 중요하다.

. 압박하지 않기다: 상대방에게 부담을 주거나 압박하지
않도록 주의한다.

4. 꾸준히 실천하기

. 일상 속에서 꾸준히 표현하기다: 사랑, 칭찬, 인정을
베푸는 것은 일회성이 아닌 꾸준한 노력이 필요하다.

. 습관화하기다: 긍정적인 표현을 습관화하여 자연스럽
게 베풀 수 있도록 노력한다.

5. 기대하지 않는 마음 유지하기

. 보답에 대한 기대를 버린다: 상대방에게 베풀었기 때
문에 반드시 보답을 받아야 한다는 기대를 버리는 것
이다.

. 주는 것에 집중한다: 베푸는 과정에 집중하고, 보답에
대한 생각은 하지 않는 것이다

[출구 팁1] 상대방이 기분 좋게 느낄 수 있는 표현들

. 진심 어린 표현: 진심 어린 마음으로 표현한다.

. 구체적인 표현: "오늘 옷 정말 잘 어울려" 와 같은 구체적인 표현한다

. 적절한 타이밍: 상대방이 기분이 좋을 때 표현하는 것이 최고다.

. 눈 맞춤과 미소: 눈 맞춤과 미소는 따뜻한 감정을 전달한다.

. 칭찬과 감사를 함께: 칭찬과 함께 감사를 표현한다

[출구 팁2] 사랑, 칭찬, 인정을 베풀수 있는 표현들

	사랑	칭찬	인정
일상 속 관심 표현	1.오늘 아침 밥 맛있게 먹었어? 2.힘든 일 없었지? 3.오늘 날씨 좋네. 같이 산책 갈래?	1.오늘 옷 정말 잘 어울려. 2.새 헤어스타일 잘 어울리네. 3.너 요리 실력 정말 많이 늘었어.	1.네가 집안일 잘 해줘서 정말 편해. 2.너 덕분에 프로젝트 잘 마무리할 수 있었어. 3.네 의견 정말 훌륭해.
격려와 응원	1.힘든 일 있더라도 포기하지 말고 해봐.	1. 네 발표 정말 잘 했어. 긴장했을텐데 잘 해냈어.	1.네 노력 정말 잘 보이네. 2.네 끈기 정말 대단해.

	2.항상 너를 응원할게. 3.네가 잘 할 수 있다고 믿어.	2.시험 잘 볼 수 있도록 응원할게. 3.새로운 도전 잘 해낼 거라고 믿어.	3.네 잠재력이 정말 기대돼.
감사 표현	1.항상 내 곁에 있어줘서 고마워. 2.늘 도와줘서 고마워. 3.네 덕분에 행복해.	1.네 덕분에 프로젝트 성공할 수 있었어. 정말 고마워. 2.네 도움 덕분에 많은 걸 배웠어. 3.네 칭찬 덕분에 더욱 노력하고 싶어.	1.네 능력을 인정하고 감사하게 생각해. 2.네가 우리 팀에 있어서 정말 다행이야. 3.네 존재에 감사해.
직접적인 표현	1. 사랑해. 2. 너 없이는 못 살 것 같아. 3.너는 내게 소중한 사람이야.	1.너는 정말 멋진 사람이야. 2.너는 내가 만난 사람 중 가장 특별한 사람이야. 3.너는 내 자랑이야.	1.나는 너의 능력을 믿어. 2.나는 너의 가능성을 기대해. 3.나는 너를 존경해.

파트너가 힘든 일을 마치고 집에 돌아왔을 때	어서 와. 오늘 정말 수고했지? 맛있는 저녁 준비했어.	오늘 정말 잘 해냈어. 너의 노력이 정말 자랑스럽다.	너 없이 내가 어떻게 해낼 수 있었을지 모르겠어. 정말 고마워.
친구가 걱정스러운 표정을 지었을 때	괜찮지? 혹시 내가 도와줄 수 있는 게 있니?	네가 항상 곁에 있어줘서 정말 고마워.	너는 내게 정말 소중한 친구야.
아이가 시험에서 좋은 점수를 받았을 때	정말 잘했어! 너의 노력이 보인다.	너는 정말 똑똑하고 능력 있는 아이야.	앞으로도 계속 노력하면 더 잘할 수 있을 거야. 응원할게.
동료가 좋은 아이디어를 제시했을 때	네 아이디어 정말 훌륭하다. 생각지도 못했던 부분이었어.	네 창의적인 생각에 감탄했어.	너의 기여 덕분에 프로젝트가 더욱 성공적으로 진행될 것 같아.
부모님이 힘든 일을 겪고 있을 때	항상 곁에서 응원하고 있다는 거 잊지 마세요.	부모님 덕분에 지금의 내가 있다는 것을 감사하게 생각해요.	부모님은 내게 세상에서 가장 소중한 사람들이에요.

3장

선택의 미로
: 나만의 길을 택하다

46. 포장도로와 비포장도로(삶의 길 선택로)

삶의 길에는 포장도로와 비포장도로가 있다. 포장도로는 안정적이고 예측 가능한 삶이다. 일반적으로 대학 진학, 대기업 취업, 결혼, 자녀 양육과 같은 전통적인 삶의 궤도를 따르는 것이다. 삶의 포장도로 장점은 미래를 어느 정도 예측할 수 있으며, 안정적인 삶을 살 수 있고, 사회적 기대와 규범에 맞춰 살기 때문에 주변 사람들과의 갈등이 적다. 또한 이미 검증된 길을 따라가기 때문에 성공 가능성이 높다. 반면 삶의 비포장도로는 불확실하고 도전적인 삶이다. 자신의 개성과 흥미에 따라 독자적인 길을 개척하는 것이다. 삶의 비포장도로 장점은 자신의 꿈과 목표를 향해 자유롭게 나아갈 수 있고, 자신의 길을 개척하면서 성취감과 만족감을 느낄 수 있다. 또한 세상에 없는 새로운 것을 만들어낼 수 있다.

그럼, 삶의 길 선택은 어떤 도로로 가는게 좋을가. 어떤 도로가 좋은지는 개인의 가치관과 목표에 따라 다르다. 안정적이고 편안한 삶을 원하는 사람에게는 포장도로가 좋은 선택이고. 자유롭고 독창적인 삶을 원하는 사람에게는 비포장도로가 좋은 선택일 수 있다. 포장도로의 삶과 비포장도로의 삶에 대한 예시를 살펴보자. 삶의 길을 포장도로로 선택한 예로 의사와 공무원을 들수 있다. 의사가 되기 위해서는 의과 대학을 졸업하고 국가 시험에 합격해야 합니다. 이 과정은 매우 힘들고 경쟁이 치열하지만, 안정적인 수입과 사회적 명성을 얻을 수 있다. 공무원이 되기 위해서는 국가시험이나 지방자치단체 시험에 합격해야 한다. 공무원은 안정적인 직업이고, 공무원연금이라는 노후준비에 기대가 높은 직업이다. 삶의 길을 비포장도로로 선택한 예로 스타트 창업자과 예술가를 들 수 있다. 스타트업 창업자는 실패 가능성이 높지만, 성공하면 큰 성공을 거둘 수 있다. 예술가는 자신의 예술적 감각을 표현하며 자유로운 삶을 살 수 있지만, 경제적으로 어려움을 겪을 수도 있다.

포장도로로 가는 인생은 삶의 가치와 재미가 없을 수 있다. 정해진 시간에 얽매이고, 정해진 공간에 묶여있고, 정해진 규칙에 의해 움직이고, 정해진 삶의 프레임에서 크게 벗어나지 못하는 울타리 삶이다. 내가 원해서, 내가 하고 싶어서, 내가 바라는 그런 삶이 아니기 때문이다. 부모에 의해, 교수에 의해, 선배에 의해 결정된 삶의 방향은 나에게 가치있거나 중요한 삶이 아니다.

나에게 중요한 삶은 내가 하고 싶은 것을 하고, 내가 바라는 것을 하고, 내가 행복함을 느끼는 그런 삶이다. 내 삶에 있어 가장 중요한 것이 무엇인지를 선택해야 한다. 여러 요인에 의해 삶의 경계를 만든 울타리는 편함, 안전, 충족, 만족 등 한정된 욕구를 충족시켜 준다. 반면 삶의 경계를 만든 울타리를 벗어나면 도전, 가치, 창의, 협력 등 무한대의 요구를 충족할 수 있다. 포장된 도로보다는 비포장 도로나 도로가 전혀 없는 길이 더 좋다. 우리 삶의 방향성과 가치의 다양성이 많기 때문이다.

비포장 도로나 도로가 전혀 없는 길을 선택하고 나만의 길을 스스로 만들어 가는 것 그 자체가 행복한 삶의 가치이다. 삶의 가치를 찾지 못하고 있다고 삶을 후회할 필요는 없다. 후회한다고 삶의 길이 잘못된 것은 아니다. 내가 선택한 길은 내 삶의 가치이며 행복한 삶이다. 선택은 생각과 마음에 달려있다. 이게 삶의 정답이다. 남에게 의존한 선택은 내가 원하는 길이 아니기 때문에 행복한 삶이 아닐수 있다. 하지만 남들이 너는 왜 가치 없는 포장도로 삶을 살고 있냐고 비난하더라도 내가 선택한 길이 삶의 정답이라고 믿고 선택한 길을 긍정적으로 다듬고 갈구하면 그것 자체가 삶의 과정이며 삶의 행로가 된다. 삶의 길이 포장도로든, 비포장도로든 나의 선택을 존중하고 나의 길에서 행복을 만끽하면 그게 행복도로가 된다. 어떤 삶의 길(포장도로, 비포장도로)을 선택하든 중요한 것은

자신이 선택한 길에 책임지고 최선을 다하는 것이 행복한
삶이다.

[출구 팁] 삶의 길 혼합형
        (포장+비포장도로, 또는 비포장+포장도로) 도로
. 혼합형 도로:

  포장도로와 비포장도로의 장점을 모두 취하기 위해 두
가지를 혼합하는 방법도 있다. 예를들어, 안정적인 직업을
유지하면서 여가 시간에 새로운 경험을 추구하거나, 창업
을 준비하면서 안정적인 수입을 확보하는 방법도 있다.
. 변화의 도로:

  삶의 길은 항상 고정되어 있는 것이 아니라, 상황에 따
라 변화할 수 있다. 처음에는 포장도로를 선택했지만, 나
중에 비포장도로로 방향을 바꾸는 방법이다.

  . 중요한 것은 자신에게 맞는 길을 찾고, 그 길을 꾸준히
걸어가는 것이다.

47. 죽기 전에 꼭 하고 싶은 것
(혼자 하는 것과 함께 하는 것)

지금, 내가 죽기 전에 꼭 하고 싶은 것은 무엇인지?를 생각해보자. 살면서 내 삶의 철학과 가치가 무엇이고, 내가 원하는 것이 무엇인지를 생각한 사람은 의외로 그리 많지 않다. 예를 들면, 영화 버킷 리스트에서 모건 프리먼과 잭 니콜슨은 우연히 같은 병실을 쓰게 됐다. 병실에서 두 사람은 너무나 다른 서로에게서 중요한 공통점을 발견하게 된다.

두 사람이 발견한 공통점은 첫째, 난 누구지?. 내가 누구인지를 정리할 필요가 있다는 것이다, 둘째, 죽기 전에 얼마 남지 않은 시간 내가 하고 싶던 일을 해야 한다는 것이다. 두 사람은 버킷 리스트를 작성하고 이를 실행하기 위해 병원을 나와 여행길을 떠난다. 여행을 하면서 사냥하기, 문신하기, 카레이싱 하기, 스카이다이빙 하기, 가장 아름다운 소녀와 키스해 보기, 화장한 재를 깡통에 담아 보기 좋은 곳에 두기 등 버킷리스트를 하나하나 지우고 또 더해 가면서 두 사람은 많은 것을 공유하고 나눈다. 삶의 의미와 인생의 기쁨, 웃음, 감동, 우정, 갈등, 불만 등 삶의 가치를 만끽하면서 죽기 전 삶을 마음껏 즐긴다.

버킷 리스트는 죽기 전에 꼭 해보고 싶은 일과 보고 싶은 것들을 적은 목록이다. 버킷 리스트는 킥 더 버킷에서 유래한 말이다. 킥 더 버킷은 중세 시대에 교수형을 집행할 때 죄수의 목에 올가미를 맨 다음, 양동이에 올라간 죄수를 처형하는 것이다. 이처럼 죽기 전에 후회하지 않는 삶을 살다 가려는 목적으로 작성하는 리스트가 바로 버킷리스트이다.

'죽기 전에 꼭 해보고 싶은 일', '죽기 전에 꼭 보고 싶은 것'을 기록할 버킷 리스트를 작성해 보자.

- 사소한 것을 구체적으로 적는다.
- 실현가능하거나 미래에 도움이 되는 것을 적는다.
- 작성날짜, 내용, 목표기한, 실천방법 등을 구체적으로 적는다.
- 목표달성 시 목록에서 지운다.
- 나 자신 칭찬과 나 자신에게 보상한다.

[출구 팁1] 버킷리스트 혼자하는 것과
2이상 함께 하는 것의 장단점

	혼자 하는 것	함께 하는 것
장점		
집중력 향	* 조용한 환경에서 방	* 서로에게 긍정적인

상	해받지 않고 집중할 수 있음(예: 도서관에서 독서, 집에서 과제 수행)	영향을 주고받으며 동기 부여를 얻을 수 있음(예: 스터디 그룹 참여, 온라인 학습 커뮤니티 활동)
자신의 속도 유지	* 자신의 속도에 맞춰 학습하거나 작업 진행 가능(예: 개인 맞춤형 온라인 강의 수강, 취미 활동)	* 다양한 의견을 수렴하고 더 나은 결과 도출 가능(예: 브레인스토밍, 프로젝트 협업)
혼자만의 시간 즐기기	* 편안하고 자유로운 시간을 보내며 스트레스 해소 가능(예: 명상, 산책, 음악 감상)	* 새로운 사람들을 만나고 인간관계를 넓힐 수 있음(예: 동호회 가입, 여행, 소셜네트워킹)
자유로운 선택 및 결정	* 책임감과 부담감 없이 원하는 것을 선택하고 결정 가능(예: 식사 메뉴 선택, 여행 계획 수립)	* 협동심과 타협 능력을 키울 수 있음(예: 팀 프로젝트 참여, 스포츠 경기)
단점		
외로움 및 지루함	* 사회적 고립감을 느끼거나 활동의 폭이 좁아질 수 있음 (예: 장기간 혼자 거주, 특	* 의견 충돌이나 갈등으로 인한 스트레스 발생 가능 (예: 그룹 내 의견 불

	정 활동 몰입)	일치, 리더십 문제)
어려움 극복 어려움	* 문제 해결에 필요한 정보나 도움을 얻기 어려울 수 있음 (예: 복잡한 기술 문제 해결, 힘든 개인적인 문제)	* 책임 소재가 불분명해지거나 의존적인 태도를 형성할 수 있음 (예: 그룹 활동에서의 역할 미분화, 과도한 의존)
모든 일을 혼자 처리	* 모든 책임과 부담을 혼자 짊어져야 함 (예: 집안일, 일 처리)	* 시간 조율 및 일정 관리에 어려움을 겪을 수 있음(예: 여러 사람의 일정 맞추기, 회의 시간 설정)

[출구 팁2] 버킷리스트때 고려할 사항

. 개인의 성향: 어떤 사람은 혼자 있는 것을 선호하고, 어떤 사람은 함께 있는 것을 선호한다.

. 활동의 목적: 활동의 목적에 따라 혼자 하는 것이 더 효과적이거나 함께 하는 것이 더 효과적일 수 있다.

. 혼자 하는 것이 좋은지, 함께 하는 것이 좋은지는 상황과 개인의 성향에 따라 다르다. 중요한 것은 자신에게 가장 잘 맞는 방법을 선택하는 것이다.

48. 가방이 나를 부른다(가벼운 것과 무거운 것)

물방울이 하나하나 모여 물이 되고 물이 모여 시냇물이 되고, 시냇물은 강물이 되고 강물은 바닷물이 된다. 가벼운 것이 모여 무거운 것이 되고. 마음이 불편하면 가벼운 것도 매우 무겁게 느껴진다. 반면 마음의 편하면 무거운 것도 가벼워진다. 가벼운 것과 무거운 것을 어디에 어떻게 두느냐에 따라 무게의 중심이 이동한다.

예를 들면, 등산을 하든지, 여행을 하든지 최대한 가볍고 편안한 차림이어야 한다는 것을 알고 있다. 알면서도 배낭이나 여행용 가방에 들어가는 짐은 왜 이리도 많은지 모르겠다. 그래서 꼭 필요한 준비물만 집어넣었는데도 들어보면 왜 이렇게 무거운지 모르겠다. 무거운 것을 어디에 놓고 가벼운 것을 어디에 놓아야 하는지 결정하기 쉽지 않다. 배낭이나 여행용 가방이 무거우면 출발부터 힘들다. 속발이 묶이는 느낌이 든다.

등산이나 여행을 가든지 가장 먼저 해야 할 일은 배낭이나 여행용 가방 싸기다. 잘 싸지 않으면 등산이나 여행이 부담이 될 수 있다. 먼저 해야 할 일은 등산이나 여행에 꼭 필요한 필수품목을 적는 것이다. 갈 때 필요한 필수품, 머물 때 필요할 필수품, 올 때 필요한 필수품을 작성해야 한다. 무거운 것은 아래에, 가벼운 것은 위에 놓는다. 가지고 다니는 것이 아닌 경우에는 이 말이 맞다. 그러나 사람이 직접 메고 가는 배낭이나 작은 여행용 가방은 상황이 다르다. 짐 싸기가 엉성하면 아름다운 산행이나 즐거운 여행은 극기 훈련과 같은 고생길이 된다.

사람이 직접 메고 가는 배낭이나 작은 여행용 가방은 무거운 것을 위쪽에, 가벼운 것은 아래쪽이 놓아야 한다. 무거운 것은 등 쪽에, 가벼운 것은 등과 먼 쪽에 놓아야 한다. 무거운 것이 어깨와 등에 가까울수록 힘이 덜 들어간다. 무거운 것이 어깨와 등에서 멀리 떨어지면 힘이 더 들기 때문이다. 짐 싸기는 무게 중심에 따라 다르다.

하지만 수시로 사용하는 물품에 대하여는 탄력적인 운영이 필요하다. 너무 무게 중심으로 놓다 보면 수시로 사용해야 할 물품을 사용하지 못 한다. 이때에는 편의성을 고려해야 수시 사용해야 하는 물품은 잡주머니에 배치해야 한다. 산행이나 여행용 가방에 집어넣는 짐을 무거운 것과 가벼운 것으로 분류해 얼마나 잘 배치해 집어넣느냐에 따라 산행이나 여행의 즐거움이 커질 수도 있고 작아질 수도 있다. 짐은 끼리끼리 넣어야 한다. 겉옷끼리, 속옷끼리, 취사도구끼리, 화장품끼리, 세면도구끼리, 양말끼리 등 끼리끼리 배치해야 한다. 우천 시 가방에 있는 모든 물품을 안전하게 보관할 수는 없다. 옷이 젖으면 입을 수도 없고 빗물에 젖어 무거워진다. 이를 대비해 끼리끼리에 맞는 비밀봉지를 같이 넣으면 좋다. 등산이나 여행 시 손에는 되도록 아무것도 들지 않고 가는 것이 좋다. 아무리 가벼운 물건이라도 시간이 지나가면 갈수록 무게감을 느끼게 된다. 별거 아닌 것 같은데 이것이 피로를 쌓이게 하는 원인중 하나다. 아무리 가벼운 것도 지금 사용하지 않는다면 가방에 넣는 것이 좋다.

[출구 팁1] 등산할 때 필수품

	필수품	상세설명서
등 산 할 때 필 요 한 필 수품	등산화 등산복 등산가방 물, 간식 등산양말 비상약품 모자,장갑 스틱 헤드랜턴 보조배터리	- 등산화: 발목을 지지하고 미끄럼 방지를 위해 필수다. - 등산복: 계절에 맞는 기능성 소재의 옷을 준비한다. - 등산가방: 물, 간식, 비상약품 등을 넣을 수 있는 적절한 크기의 가방을 선택한다. - 물: 충분한 양의 물을 챙겨가는 것이 좋다 - 간식: 에너지 보충을 위한 간식을 준비한다.

		– 등산양말: 발을 보호하고 땀을 흡수하기 위해 착용한다.
		– 비상약품: 상처 치료, 감기약 등을 준비한다.
		– 모자: 햇빛이나 비를 막기 위해 챙이 넓은 모자를 착용한다
		– 장갑: 손을 보호하고 미끄럼 방지를 위해 착용한다.
		– 스틱: 무릎 관절에 가해지는 부담을 줄여준다.
		– 헤드랜턴: 밤늦게 하산할 경우 대비하여 준비한다.
		– 보조 배터리: 휴대폰 배터리 부족에 대비하여 준비한다.
머 물 때 필 요 할 필 수품	물 텐트,침낭 매트 식기류 휴대용 버너	– 텐트: 숙박을 위한 텐트를 준비한다. – 침낭: 계절에 맞는 온도의 침낭을 준비한다. – 매트: 텐트 바닥에서 잠을 잘 수 있도록 준비한다. – 식기류: 식사를 위한 식기류를 준비한다. – 휴대용 버너: 음식을 조리할 수 있도록 준비한다.
하 산	하차장소	– 대중교통 이용: 교통카드, 티켓 등

할 때	까지 이	
필 요 할 필 수품	동 하 는 방 법 에 따라 준 비	- 자가용 이용:주유,고속도로 통행료 등

[출구 팁2] 여행할 때 필수품

	필수품	상세 설명서
출 발 할 때 필 요 한 필 수품	여권,비자 항공권 숙박 예약 확인증 여행자보험 현금, 신용 카드, 환전	- 여권: 해외여행 시 필수적인 서류다 - 비자: 방문하려는 국가에 따라 비자 가 필요하다 - 항공권: 여행 일정에 맞는 항공권을 예약한다. - 숙박 예약 확인증: 숙박 장소를 예약하고 확인증을 준비한다 - 여행자 보험: 예상치 못한 사고나 질병에 대비하여 가입한다 - 현금: 현지에서 사용할 현금을 준비한다. - 신용카드: 해외 결제에 사용할 수 있는 신용카드를 준비한다 - 환전: 방문하려는 국가의 화폐로 환전한다.

머물 때 필요할 필 수품	옷 세면도구 개인상비약 여행 가이드북 어댑터	- 옷: 여행 기간 동안 필요한 옷을 준비한다. - 세면도구: 개인 위생을 위한 세면도구를 준비한다. - 개인 상비약: 평소 복용하는 약이나 감기약 등을 준비한다. - 여행 가이드북: 여행 정보를 얻을 수 있는 가이드북을 준비한다. - 어댑터: 방문하려는 국가의 콘센트에 맞는 어댑터를 준비한다.
올 때 필요할 필 수품	귀가 장소까지 이동하는 방법에 따라 준비	- 대중교통 이용: 교통카드, 티켓 등 - 자가용 이용: 주유, 고속도로 통행료 등

[출구 팁3] 등산이나 여행할 때 고려할 사항

위 표는 기본적인 필수품만 정리한 것으로, 계절, 여행지, 개인 취향에 따라 필요한 물품이 달라질 수 있다.

. 등산을 갈 때는 등산 코스의 난이도와 예상소요시간을 고려하여 준비물을 챙겨야 한다.

. 여행을 갈 때는 숙소 유형, 여행 일정, 여행지의 기후 등을 고려하여 준비물을 챙겨야 한다.

- 여행 전에 여행지의 날씨를 확인하고, 그에 맞는 옷을 준비하는 것이 좋다.
- 여분의 옷과 개인 상비약은 혹시 모를 상황에 대비하여 챙겨가는 것이 좋다.
- 등산이나 여행 전에 체크리스트를 만들어 필요한 물품을 하나하나 확인하는 것이 좋다.
- 짐을 최대한 가볍게 하기 위해 필요하지 않은 물품은 챙겨가지 않는 것이 좋다.
- 짐을 분실하는 것을 방지하기 위해 귀중품은 따로 보관하는 것이 좋다.
- 여행 중에 혹시 모를 상황에 대비하여 여행자 보험에 가입하는 것이 좋다.

49. 알고 있는 것과 알아야 할 것(과거,현재,미래)

모든 사람은 자신이 '알고 있다'고 생각하는 지식을 가지고 있다. 하지만 그 지식이 실제로 우리에게 필요한 '알아야 할 것'과 동일한 것은 아니다. 알고 있는 것은 과거 경험, 교육, 학습 등을 통해 습득한 지식이다. 이는 사실 정보, 개념, 기술 등 다양한 형태를 띠며, 우리의 사고와 행동에 영향을 미친다. 반면에, 알아야 할 것은 특정 상황이나 목표를 달성하기 위해 필요한 지식이다. 이는 현재 우리가 직면한 문제를 해결하거나 미래의 목표를 이루는 데 도움이 되는 지식이다.

알고 있는 것과 알아야 할 것은 미묘한 차이가 있다. 알고 있다는 것은 그냥 아는 것이 아니다. 안다고 모든 것을 아는 것은 아니다. 좀 안다는 것은 생각한 만큼 모르고 있다는 것이다. 이때 스스로 반추해야 한다. 알아야 할 것은 미래지향적이다. 깨닫고자 하는 것을 인지하는 것이다. 모든 사람은 모든 것을 다 알 수는 없다. 모든 것을 알 수 있는 사람은 신이 아닌 이상 없다.

그래서 우리는 늘 새로운 무엇인가를 알려고 한다. 알려고 하지 않으면 아무것도 모르면서 아는 척하는 실수를 하게 된다. 알고 있다고 끝났다고 생각해서는 안 된다.

End는 끝이 아니라 And로 연결된 또 다른 시작이기 때문이다. 아는 것에는 한계가 있기 때문에 End가 아니라 끝임 없이 연결되는 And로 배우고 알려고 해야 한다.

알고 있는 것은 개인의 경험, 교육, 학습 등을 통해 직접적으로 습득한 지식을 의미한다. 이는 개념, 사실, 기술 등 다양한 형태로 존재하며, 개인의 기억에 저장되어 필요에 따라 활용될 수 있다.

알아야 할 것은 개인의 현재 상황, 목표, 역할 등에 따라 필요하다고 판단되는 지식을 의미한다. 이는 아직 습득하지 않았지만, 미래의 성공이나 성장을 위해 배우는 것이 중요한 지식이다.

예를들면, 알고 있는 것은 한국어, 영어 말하기, 자전거 타기, 요리법, 역사지식, 의식주 등이 있다. 알아야 할 것은 부부간 싸우기 않기, 아기키우는 방법, 새로운 프로그래밍 언어배우기, 투자방법 배우기, 환경문제에 대한 지식, 최신 기술동향, 외국문화이해, 건강문제 의학 지식 등이 있다.

알고 있는 것과 알아야 할 것 사이의 균형은 우리의 성장, 학습, 그리고 끊임없는 탐구를 위해 필수적이다. 우리는 알고 있는 것에 만족하지 않고, 알아야 할 것을 계속해서 찾아야 한다.

알고 있는 것과 알아야 할 것은 서로 상호 보완적인 관계
이다. 우리는 단순히 지식을 암기하는 것에만 집중하기보
다는, 변화하는 세상에 필요한 지식을 능동적으로 찾아
배우고, 실생활에 적용할 수 있는 능력을 키워나가야 한
다

[출구 팁] 알고 있는 것과 알려고 하는 것 차이 알기

구분	알고 있는 것	알아야 할 것
상태	습득 완료	습득 필요
의미	직접 습득한 지식	필요하다고 판단되는 지식
특징	개인의 경험, 교육, 학습에 기반	현재 상황, 목표, 역할에 따라 달라짐
중요성	개인의 삶에 도움	미래의 성공, 성장에 중요
역할	현재 활용 가능	미래 활용 필요
범위	개인의 경험과 관심 분야에 제한	개인 밖의 다양한 분야 포함
변화	시간 경과에 따라 변화 가능성 낮음	끊임없이 변화하고 새로운 정보 추가

50. 성공과 실패를 좌우한다(시간 관리)

우리는 바쁘다. 바빠! 라는 말을 자주 사용한다. 뭐가 그리도 바쁜지 항상 바쁘다고 한다. 이는 시간이 없어서 바쁜 것인지, 상대방과의 시간을 가지고 싶지 않아서 바쁜 것인지, 자신의 업무 때문에 바쁜 것인지는 알 수 없다. 본인만이 바쁜 이유를 알고 있다. 바쁜 이유는 시간 관리에 관한 우선순위에 오류가 있기 때문이다. 시간관리 우선순위는 삶의 목표, 행복의 목표, 개인의 목표, 조직의 목표 등 목표를 결정할 때와 인생의 성공과 실패에 큰 영향을 미친다. 우리는 해야 할 것에 비해 시간이 충분하지 않는 것이 현실이다

그렇다면 시간관리는 어떻게 정하는 것이 좋을까? 시간관리는 첫째, 시간관리 우선순위 결정은 내가 한다. 누가 대신해 주길 기대하여서는 안 된다. 둘째, 내게 가장 중요한 것이 무엇인지를 정해야 한다. 셋째, 중요한 것 중에서 가장 먼저 해야 할 것을 정해야 한다. 넷째, 무엇을 하든 시작과 끝은 구체적으로 언제까지 할 것인지 정하고 해야 한다. 다섯째, 중요하지 않은 것과 시간 낭비적인 무의미한 것은 버릴 것은 버리고 포기해야 할 것은 포기할 수 있어야 한다. 여섯째, 오늘 할 것을 내일로 미루지 않는

것이다. 일곱째, 통제할 수 있는 시간과 통제하기 쉽지 않은 시간을 구분해야 한다. 통제할 수 있는 시간은 정해진 시간인 식사시간, 취침시간, 발표시간, 약속시간 등으로 본인이 시간 관리를 쉽게 할 수 있다. 반면 통제하기 쉽지 않은 시간은 정해지지 않은 시간인 최고경영자 비상대책 회의시간, 차량사고로 세미나 참석 지연시간, 번개팅 술자리 시간, 지시에 의한 업무량 과다 초과시간 등으로 본인이 시간 관리하기 쉽지 않다. 통제할 수 있는 시간과 통제할 수 없는 시간의 중요도와 우선순위는 그때그때의 상황변화에 따라 중요도와 시급성을 고려해 우선순위를 바꾸면 된다.

[출구 팁]
[시간관리 우선순위 정하기 원칙]
1. 목표 설정 : SMART(Specific, Measurable, Achievable, Relevant, Time-bound)목표 설정과 목표 달성을 위한 구체적인 계획 수립
  (예시)
   . 목표설정 ; 1개월 후에 한국어기초 시험 90점 이상 받기
   . 목표달성을 위한 계획 : 매일 1시간 한국어 단어 암기, 30분 한국어 연습

2. 우선순위 정하기 : 중요하고 긴급한 일부터 처리

  (예시)

  . 중요하고 긴급한 일: 과제 마감, 시험 준비

  . 중요하지만 긴급하지 않은 일: 운동, 독서

  . 긴급하지만 중요하지 않은 일: 회의 참석, 전화 응답

  . 중요하지도 긴급하지도 않은 일: SNS 사용, TV 시청

3. 시간 낭비 줄이기 : 집중력을 방해하는 요소 제거

  (핸드폰, 소셜 미디어)

  . 불필요한 회의, 약속 최소화

  (예시)

  . 핸드폰 알림 끄기, 작업 공간 정리

  . 회의 전 미리 의제 확인, 불필요한 참석 자제

4. 일정 관리: To-Do List 작성, 일정표 활용, 시간관리 앱 활용

  (예시)

  . 매일 아침 To-Do List 작성,Google Calendar 사용

  . 시간 관리 앱 (TickTick, Todoist) 활용

5. 꾸준한 실천: 자신에게 맞는 시간관리시스템 관리 방법 찾기와 유지하기

  (예시)

  . 매주 일요일 일정 정리, 매일 자기 성찰 시간 확보

. 다양한 시간 관리 방법 시도 후 자신에게 맞는 방법 선택

\#. 추가 팁

. 충분한 휴식과 수면을 취하여 컨디션을 유지한다.

. 건강한 식습관과 운동을 통해 신체적, 정신적 건강을 관리한다

. 자기계발 등 관련 책이나 강의를 통해 지식을 쌓는다

시간 관리를 꾸준히 실천하면 목표를 달성하고, 더욱 풍요로운 삶을 살 수 있다.

51. 여행은 결정자에 따라 다르다(여행의 즐거움)

여행에서 가장 중요한 것은 가고싶은 목적지를 결정하는 일이다. 그 많은 여행지 중 여행 목적지를 어디로 결정하느냐에 따라 여행 경비, 여행 인원, 여행 기간 등이 달라진다. 여행은 목적지의 결정이 중요한 변수다. 국내여행이든 국외여행이든 여행은 혼자 가는지, 가족과 함께 가는지, 직장 동료와 함께 가는지 아니면 모르는 사람과 패키지 여행을 하는지에 따라 여행의 방범과 여행의 내용이 달라진다. 숙박시설 또한 국내여행은 텐트, 민박, 모텔, 콘도 중 어떤 숙박시설로 할 것인지, 국외여행은 배낭, 호텔, 민박, 호스텔 중 어떤 숙발시설로 할 것인지에 따라 달라진다.

국내를 하든 국외를 하든 혼자 여행을 할 경우 배낭여행을 할 것인지, 패키지 여행할 것인지를 결정해야 한다. 가족과 하면 여행을 같이 갈 가족 일원의 동의를 얻어야 하고 일정을 언제로 할 것인지를 맞추어야 한다. 직장 동료와 여행하면 취미 차원에서 갈 것인지, 벤치마킹을 목적으로 갈 것인지 등을 선택해야 한다. 취미로 갈 때 취미 클럽 회원의 동의를 얻어야 한다. 직장 동료 간 조직의 발전에 도움을 주기 위한 벤치마킹을 목적으로 한다면 공무여행 예산을 확보해야 한다. 모르는 사람과 여행할 때 묻지마 관광은 아니지만 주로 싼 가격의 여행대행사를 통해 이루어지는 사례가 많다. 이때에는 여행사의 계획대로 움직일 것인지, 가이드가 여행지에서 상품구매 안내를 하면 이에 응해야 하는지 등을 사전에 마음의 준비를 해야 한다. 이처럼 여행계획은 여행과 관련한 내외부 변수에 따라 우선순위가 변한다.

여행 목적지가 결정되었다고 하자. 그럼 여행계획을 짜야 한다. 누가 여행계획을 짤 것인가? 누가 여행계획짜지?, 내가 아님 네가? 누가 여행계획을 짤 것인가도 중요한 변수다. 여행계획을 짜는 사람이 누구냐에 따라 여행경비, 여행지 호텔, 여행경로, 여행사 등이 달라지기 때문이다. 이럴 때 우선순위를 정해야 한다. 여행을 주관하고자 하는 권한과 책임을 질 사람이 제1순위가 되고 그를 도울 사람을 제2순위로 정해야 한다. 그 다음 순위는 여행자별로 업무분담을 하여 구체적이고 확실한 역할을 주어야 한다. 여행계획을 짤 사람을 정하지 못했을 때는 여행출발부터 귀국까지 서로 간의 갈등과 혼선으로 즐기고자 한 여행의 흥이 깨질 수 있다. 이는 여행을 하지 않은 것만 못하다는 결과를 만든다.

여행계획을 누가 짤 것인지에 대한 우선순위가 결정되었

으면 업무분담에 의한 여행준비를 해야 한다. 여행 시 필요한 준비물이 무엇이고, 어떤 종류의 준비물을 여행용 큰 가방에 넣고, 어떤 종류의 준비물을 기내용 가방에 넣어야 하는지를 생각해야 한다. 큰 가방에 넣을 수 있는 중요한 준비물로는 잠옷, 속옷, 운동화, 티셔츠, 긴 팔, 잠바, 반바지, 긴 바지, 샌들, 구급약품, 칫솔과 치약, 모자, 면도기, 빗, 화장품, 샴푸와 린스, 수건, 휴대폰 충전기, 우산, 고추장, 라면, 깻잎, 통조림, 소주팩, 종이컵, 나무젓가락 등이 될 것이다. 기내식 가방에 넣을 수 있는 중요한 준비물은 책, 볼펜, 메모지, 안경, 여행안내책자, 여권, 비자, 항공권, 카메라, 국제전화카드 등이 될 것이다.

여행경비 역시 다르다. 여행 목적지 결정이 되었을 때 여행을 위해 그간 저축한 돈으로 할 것인지, 개인이 가지고 있는 비자금으로 할 것인지, 관공서, 기업체 등의 연수를 목적으로 여행할 때 그 여행비용의 지원을 얼마나 받을 수 있는지 등에 따라 여행경비 조달방식이 달라진다. 중요한 것은 여행 목적과 여행 경비의 확보다. 여행 목적과 여행 경비를 확보한 다음, 여행 준비를 하고 여행 일정에 따라 여행을 즐기면 된다.

이처럼 여행을 할 경우 여행목적이 무엇이고 여행계획은 누가 짤 것이며 여행경비 조달은 어떻게 할 것인가에 대한 정해야 한다. 우선순위와 역할 분담에 따라 여행의 즐거움 강도는 더 높아질 수도 더 낮아질 수도 있다.

[출구 팁] 여행 전,중,후 준비사항

	준비	세부내용
여행 전	여행지 정보 확인	날씨, 문화, 교통, 관광지 정보 확인
	숙소 예약	예산, 위치, 시설 고려
	짐 꾸리기	간소하게 챙기기, 필수품 챙기기, 귀중품 따로 보관
	여행 일정 공유	가족/친구에게 공유, 연락처 공유
여행 중	안전 확보	소매치기/사기 주의, 낯선 사람 주의, 귀중품 관리
	현지 문화 존중	드레스 코드/금기 사항 확인
	교통 이용	현지 시스템 알아보기, 다양한 교통 수단 이용
	건강 관리	충분한 휴식/수분/건강한 식사
여행 후	여행 후기 작성	경험/느낀 점 공유
	사진 정리	앨범/영상 제작
	여행 경비 정리	예산 관리

52. 생활의 필수품 세탁기(선택지가 결정한다)

세탁기는 현대인의 생활 필수품이지만, 다양한 기능과 브랜드, 가격대가 존재하여 선택하기 쉽지 않습니다. 다양한 브랜드, 모델, 기능들이 넘쳐나면서 세탁기를 살 때 어떤 세탁기를 살 것인가를 고민한다. 디자인을 우선 볼 것인가? 세탁 용량이 큰 것을 우선 살까? 아니면 세탁기 기능이 좋더라도 내 집 베란다에 맞는 세탁기를 살까? 먼저 선택의 기준을 무엇으로 생각하느냐에 따라 세탁기의 종류와 대상은 달라진다. 세탁기 구매의 우선순위와 관련한 물품기준은 구매 가격, 브랜드명, 제품의 용량, 가로 및 세로 크기, 특징, 에너지 절약 여부, 친환경성, 내부구조, 사용의 편리함, 살균력, 에어 탈취, 문 열림, 세탁에서 건조까지, 내구연한, 헹굼력 등이다. 세탁기를 놓은 장소에 대한 우선순위와 관련한 환경기준은 가족인원수에 비례한 세탁량, 배치공간, 배수구와 수도꼭지 연결, 저소음 등이다. 세탁기 물품과 배치 장소를 고려하여 결정해야 한다. 세탁기의 용량에 따라 제품의 크기가 달라지기 때문이다. 예비신랑 신부는 세탁기 구매 등에 대한 경험이 부족하여 부모와 함께 사러 가는 경우가 많다. 예비신랑 신부는 용량보다는 가격과 디자인에 우선순위를 정한다. 반면 경험이 있는 가정주부는 덩치 큰 이불을 세탁하고 건조할 수 있는 용량과 저렴한 가격을 우선순위로 정한다.

[출구 팁] 세탁기 살 때 고려해야 할 선택항목

	주요내용	고려사항
세탁 용량	1인 가구: 7~8kg, 2~3인 가구: 9~12kg, 4인 이상 가구: 14kg 이상	침구류, 커튼 세탁 여부 고려
세탁 방식	드럼식: 세탁 효율 높음, 옷감 손상 적음, 가격 비쌈, 물 사용량 많음	옷감, 예산, 물 사용량 고려
추가 기능	자동 세제 투입, 버블 세탁, 스마트 기능	필요 기능 고려
에너지 효율	높을수록 전기료 절약 가능	전기료 부담 고려
소음 수준	낮을수록 좋음	아파트 거주 여부 고려
A/S 정책	신뢰할 수 있는 브랜드 선택	고장 발생 가능성 고려
가격	다양한 브랜드/모델 비교	온라인/오프라인 비교
직접 사용	소음, 편의성 확인 가능	가능하다면 직접 사용
온라인 후기	실제 사용자 경험 확인	장단점 파악 가능

| 전문가 의견 | 사용자 필요에 맞는 제품 추천 | 전문가/전문 매장 직원 의견 참고 |

53. 옷 살 때 남녀 시각차이(목적과 패턴 차이)

남자과 여자은 옷을 살 때 고려하는 요소와 구매 패턴에서 차이를 있다. 먼저 구매목적의 차이다. 남자가 옷을 사는 목적은 부족한 옷을 채우거나 마모된 옷을 교체하기 위해서 이다. 남자는 필요한 옷을 빠르게 찾고 구매하는 것을 선호한다. 좋아하는 브랜드가 있다면 해당 브랜드에서 필요한 옷을 찾는 경향이 있다. 반면 여자가 옷을 사는 목적은 쇼핑 자체를 즐기는 경우가 많고, 새로운 스타일을 시도하고 자신을 표현하는 수단으로 옷을 구매힌다. 최신 트렌드를 따라가는 것을 좋아하며, 다양한 스타일을 시도하는 데 적극적이고 옷의 디자인, 소재, 착용감 등에 영향을 받아 구매 결정을 하는 경우가 많다.

다음은 구매 패턴의 차이다. 남자는 필요한 옷을 미리 정하고 계획적으로 구매하는 경우가 많다. 한 번에 여러 옷을 구매하기보다는 필요한 아이템만 집중적으로 구매하고 기능성, 편안함, 가격 등 실용적인 요소를 고려하여 구매한다. 반면 여자는 마음에 쏙 드는 옷을 당장 구매하는 경우가 많다. 한 번에 여러 옷을 구매하며, 코디를 고려하여 아이템을 선택하고 디자인, 트렌드, 스타일 등 패셔너블한 요소를 고려하여 구매한다. 다음은 행동의 차이다.

남자은 특정 용도(예: 운동, 업무)에 맞는 옷을 구매하는 경향이 있고. 브랜드나 디자인보다는 가격 대비 실용성을 고려하고 쇼핑에 시간이 짧다. 필요한 옷을 빠르고 간결하게 구매한다 반면, 여자는 쇼핑을 즐기며, 여러 옷을 비교해보고 구매하고 직접 옷을 입어보고 느껴보는 것을 중요하게 생각하고, 친구나 가족과 함께 쇼핑하는 경우가 많고 쇼핑시간이 길다. 마지막으로 구매비용의 차이다. 남자는 저렴하고 실용적인 옷 선호하고 고가의 옷 구매에 소극적이다. 반면 여자는 트렌드 반영과 디자인에 따라 구매비용도 크고 다양한 옷을 구매하여 소장한다,

문제는 여자의 경우 다양한 옷을 구매하여 소장하는 것은 계절에 따라, 패션에 따라, 신체변화, 기분 등에 따라 내년에 입으면 된다. 하지만 여자의 경우 현실은 그렇지 않다. 여자는 옷장을 열어보면서 이 옷은 디자인도 한물갔다. 유행도 지나 내년에는 못 입겠다. 입었던 옷을 또 입자니 마음에 드는 옷이 없다. 그래서 쇼핑을 가서 사고 싶은 옷을 고르다 고민을 한다. 옷의 선택기준이 다양하기 때문이다.

예를 들면 나만의 옷인가, 어울리는 옷인가, 내년에도 입을 수 있는 옷인가, 비싼 옷인가, 유행을 앞서 가는 옷인가, 디자인은 어떤가, 이 옷을 입으면 남자들이 예쁘다고

할까, 눈에 띄는 옷인가, 색상은 적절한 옷인가, 행사용 옷인가, 등산용 옷인가, 의전용 옷인가, 평범한 일상 옷인가, 나의 스타일에 맞는 옷인가 등이다. 그리곤 이 옷 저 옷을 입어보고 거울을 본다. 마음에 드는 것이 없다. 다른 옷가게로 이동한다. 똑같은 행동을 계속한다. 이후 '내가 뭘 입고 싶어 여기 왔지?'라는 질문을 통해 우선순위를 결정한다. 이 옷을 구입하여 내년에도 입을 수 없다면 이 옷을 살 수 없다고 생각한다. 구매하는 선택의 우선순위는 내년에도 이 옷을 입을 수 있어야 한다는 기준이다. 여자는 내년에 유행에 뒤지지 않고 입을 수만 있다면 좀 비싸더라도 비싼 옷을 산다. 이게 여자의 마음이다.

[출구 팁] 남녀 옷 살 때 고려사항

	남성	여성
목적	필요 충족	즐거움, 트렌드, 자기 표현
구매 패턴	계획적, 단일 아이템	충동적, 복수 아이템
가격	합리적인 가격	디자인에 따른 가격
브랜드	선호 브랜드	다양한 브랜드
스타일	편안하고 실용적인 스타일	트렌디하고 패셔너블한 스타일

색상	무난하고 어두운 색상	다양하고 화려한 색상
소재	관리하기 쉬운 소재	고급스럽고 감성적인 소재
착용감	편안함	디자인에 따른 착용감

54. AI로 부업한다
(생성형 AI 콘텐츠 제작으로 수익 창출하기)

AI 시대의 도래는 콘텐츠 제작 방식에도 혁신을 가져왔다. 유튜브 영상, 쇼츠, 블로그, 애드센스, 전자책, 음악 제작, 영상 제작 등 다양한 분야에서 생성형 AI를 활용하여 수익을 창출하는 방법이 등장하고 있다.

내 이웃집 아줌마 부업으로 유튜브에 비소리, 명상소리 등을 올려 돈을 벌었다. 일부만이 돈을 벌었다. 많은 사람이 유튜브. 쇼츠 등에 퀴즈게임 등 시도했으나 조회수가 적고 구독자가 적어 중도에 포기하는 경우가 많다. 그래도 생성형 AI가 있다. 시도해보는 것도 나쁘지는 않다. 부업으로 도전해 볼까?

생성형 AI 콘텐츠 제작으로 수익을 창출하는 방법을 유형별로 분류하여 살펴보자. 첫째, AI 텍스트 생성이다. 블로그 게시글, 뉴스 기사, 제품 설명, 소설, 시나리오, 광고 문구를 생성한다. 활용할 수 있는 사이트는 Bard, Jasper, Ryte, Frase, Grammarly 등이 있다. 둘째, AI 번역 생성이다. 다국어 콘텐츠 제작, 해외 시장 진출, 번역 서비스 제공한다. 활용할 수 있는 사이트는 Google Translate, DeepL, Papago, Naver Papago 등이 있다. 셋째, AI 이미지/영상 제작 생성이다. 썸네일, 제품 이미지, 홍보 영상, 배경 이미지, 캐릭터 디자인을 생성한다. 활용할 수 있는 사이트는 Midjourney, Dall-E 2, NightCafe, Runway ML, Picsart AI 등이 있다. 넷째, AI 음악 제작 생성이다. 배경 음악, 효과음, 벨소리, 게임 음악, 광고 음악을 생성한다. 활용할 수 있는 사이트는 MuseNet, Jukebox, Amper Music, AIVA, Soundtrap 등이 있다.

생성형 AI를 수익화을 위해서는 새로운 콘텐츠 아이디어 발굴 및 차별성 확보가 매우 중요하다. 먼저, AI 키워드 분석이다. 트렌드 파악, 키워드 선정, 콘텐츠 기획, SEO 최적화하는 것이다. 활용할 수 있는 사이트는 Google Keyword Planner, Ubersuggest, Ahrefs, Semrush, Keywordtool.io 등이 있다. 다음은 AI 주제 분석이다. 콘텐츠 주제 선정, 경쟁 분석, 차별화 전략을 수립하는 것이다. 활용할 수 있는 사이트는 BuzzSumo, Answer ThePublic, Google Trends, Exploding Topics 등이 있다. 그 다음은 AI 아이디어 제작이다. 블로그 게시글 아이디어, 제품 디자인 아이디어, 마케팅 전략 아이디어를 발굴하는 것이다. 활용할 수 있는 사이트는 Brainstormer, IdeaFlip, MindMeister, Miro, Coggle 등이 있다.

생성형 AI를 활용한 수익 창출 도구들중 사용하기 편한 것을 선택하고, AI편집프로그램 중 무료시험판을 먼저 사용한 다음, 유료로 이용하면 좋다.

1. 유튜브, 쇼츠 : 튜토리얼, 리뷰, 엔터테인먼트 영상 제작, AI 활용 팁, 가이드 영상 제작(Davinci Resolve.

Shotcut, Openshot, Capcut, inShot, Polarrdium 등)

2. 블로그, 애드센스: 정보 제공, 전문성 기반 콘텐츠 제작, AI 관련 리뷰, 튜토리얼 게시글 작성(chatGPT, Tistory, WordPress, Notion, Grammarly, ProWritingAid, Hemingway Editor 등)

3. 전자책: AI 활용 가이드북, 실용서 저술, AI 소설, SF 소설 창작(텍스트 편집 : Microsoftword, LibreOffice Writer, Google Docs 등, EPUB형식 변환 : Sigil, Calibre, Adobe InDesign 등, 표지제작 : Adobe Photoshop, Canva 등, 전자책 제작 플랫폼 : Amazon KDP, Apple books, Reedsy 등)

4. 음악 제작: AI 기반 음악 작곡 도구 활용, AI 음악을 활용한 콘텐츠 제작(멜로디 및 코드 생성 : MuseNet, Jukebox, AIVA 등, 리듬 생성 : Rhythmic AI, Groove Pizza 등, 악기 연주 생성 : Amper Music, Melodrive 등, 전체 음악 작곡 : Magenta studio, LANDR 등)

5. 영상 제작: AI 활용 영상 광고 제작, AI 영상 편집 서비스 제공(Aynthesia, Runway ML, Pictory AI, Lumen5, Kapwing, VEED.io, CapCut,Biteable 등)

생성형 AI 편집 프로그램은 영상 제작 과정을 간소화하고, 사용자의 작업 시간을 단축해 준다. 자신에게 필요한 편집프로그램의 기능과 유료 사용할 경우의 예산을 고려하여 적합한 프로그램을 선택하는게 좋다 AI 편집 프로그

램 선택시 고려해야 할 사항은 첫째, 자동 편집 기능, 템
플릿, 효과, 멀티캠 편집 등 필요한 기능을 확인하는 것이
다, 둘째, 인터페이스가 사용하기 쉬운지, 학습 자료가 충
분한지 확인하는 것이다. 셋째. 무료 프로그램도 있지만,
유료 프로그램은 더 많은 기능을 제공하고 있다는 것이
다. 넷째, PC, Mac, 웹 기반 등 사용 환경에 맞는 프로그
램을 선택하는 것이다.

생성형 AI는 새로운 수익 창출 기회를 열어주지만, 과장
된 수익에 대한 주의가 필요하다. 성공적인 부업을 위해
서는 창의성, 전문성, 노력, 그리고 시장에 대한 이해를
바탕으로 다양한 수익 모델을 탐색하고 자신에게 적합한
방법을 찾는게 좋다.

[출구 팁1] AI 이미지 생성으로 돈 벌 수 있는 7가지 방법

방법	설명	예시
스톡 이미지 판매	Shutterstock, iStockphoto 등 스톡 이미지 사이트에 AI 이미지를 업로드하여 판매한다.	풍경, 인물, 동물, 물건 등 다양한 주제의 AI 이미지를 제작하여 판매한다.
맞춤형 이미지 제작	고객의 요청에 맞춰 AI 이미지를 제작하여 판매한다.	로고, 웹사이트 디자인, 제품 이미지, 프로필 사진 등을 제작한다.
NFT 아	OpenSea 등 NFT 마켓	독창적인 그림, 캐릭터,

트 제작	플레이스에서 AI 이미지를 NFT 아트로 판매한다.	삽화 등을 NFT 아트로 제작하여 판매한다.
AI 이미지 편집 서비스	AI 이미지를 기반으로 추가적인 편집 및 디자인 작업을 수행하여 서비스를 제공한다.	사진 보정, 배경 제거, 캐릭터 디자인, 이미지 합성 등의 서비스를 제공한다.
교육 및 튜토리얼 제작	AI 이미지 생성 기술 관련 교육 자료나 튜토리얼을 제작하여 판매한다.	온라인 강좌, 유튜브 영상, 전자책 등을 제작하여 판매한다.
AI 이미지 기반 콘텐츠 제작	AI 이미지를 활용하여 만화, 웹툰, 스토리북 등 콘텐츠를 제작하여 수익을 창출한다.	AI 이미지를 기반으로 스토리를 구성하고, 캐릭터를 디자인하여 콘텐츠를 제작한다.
AI 이미지 API 개발	AI 이미지 생성 기술을 활용한 API를 개발하여 다른 개발자들에게 제공한다.	이미지 생성, 스타일 변환, 편집 등의 기능을 제공하는 API를 개발한다.

[출구 팁2] 생성형 AI 콘텐츠 제작, 부업으로 참여하기 전 주의사항

주의 사항	내용
수익 보장의	유튜브 영상들은 성공 사례를 부각하여 수익

허점	가능성을 과장하는 경향이 있다. 실제 수익은 AI 모델의 성능, 콘텐츠 유형, 시장 경쟁 등 다양한 요인에 따라 달라지며, 월 500만 원이라는 수익은 보장되지 않는다.
시간 투자 및 노력	10분 만에 콘텐츠 제작이 가능하다고 해도, 양질의 콘텐츠를 만들기 위해서는 아이디어 구상, 모델 학습, 결과 검토, 수정 등에 상당한 시간과 노력이 필요하다.
콘텐츠 품질 및 차별성	AI 모델은 유사한 콘텐츠를 대량으로 생산하기 때문에, 차별성을 확보하기 위해서는 꼼꼼한 검토와 편집, 작가로서의 전문성을 더해야 한다. 저작권 침해나 표절 문제에 대한 주의도 필요하다
시장 경쟁 및 포화 가능성	생성형 AI 콘텐츠 제작 시장은 빠르게 성장하고 있으며, 경쟁이 심화되고 있다. 시장 포화 가능성도 고려해야 하며, 장기적인 수익 창출 전략을 세우는 것이 중요하다.
법적 및 윤리적 문제	AI 모델이 생성하는 콘텐츠의 저작권, 허위 정보, 편향 등 법적 및 윤리적 문제에 대한 인식이 필요하다. 책임감 있는 콘텐츠 제작을 위해 노력해야 한다.

55. 여자의 옷 색깔(마음의 수수께기를 풀다)

여자는 매일 옷 색깔이 바뀐다. 여자는 자기가 선호하는 색이 있지만 미팅 있는날, 비오는 날, 맑은 날 등 수시로 옷 색깔이 다르다. 남자들은 여자의 옷 색깔의 미로에 있어 잘 모른다. 여자도 같은 날 같은 색을 입거나 색깔은 다르지만 비슷한 옷을 입은 것을 보면 기분이 좋지 않다. 옷은 단순히 몸을 가리는 것이 아니라, 자신을 표현하는 중요한 도구중 하나다. 특히 여성의 경우 옷 색깔은 그날의 기분, 심지어 숨겨진 마음까지 드러낼 수 있다. 마치 비밀번호처럼, 옷 색깔은 여성의 마음을 풀어내는 열쇠가 될 수 있는 것이다. 색채 심리를 통해 여성의 옷 색깔이 의미하는 바를 살펴보고 그 색깔을 선택하는 여자의 마음 상태를 들여다보자. 이 색채 심리분석은 일반적인 경향을 나타내는 것으로, 개인의 성격, 문화, 상황에 따라 다를 수 있다. 모든 여성에게 동일하게 적용되는 것은 아니므로 참고용으로 수수께끼를 풀기 바란다. 먼저 각 색깔의 의미와 심리적으로 해석해 보면 다음과 같다.

1. 빨강: 열정, 에너지, 자신감, 활동적인 성격, 주의 끌기, 사랑, 흥분
2. 파랑: 평화, 안정, 신뢰, 진실, 지성, 차분함, 우울감
3. 노랑: 긍정, 희망, 기쁨, 창의성, 유쾌함, 관심 끌기
4. 초록: 자연, 성장, 평온, 힐링, 조화, 질투, 독선

5. 보라: 고급스러움, 우아함, 신비, 창의성, 독립, 자만심

6. 검정: 권력, 세련됨, 자신감, 우울, 슬픔, 무관심

7. 흰색: 순수, 무죄, 단순함, 깨끗함, 겸손, 차가움

8. 회색: 중립, 차분함, 안정, 우울, 지루함, 무관심

앞의 색깔의 의미와 색채심리 해석으로 옷 색깔과 여자의 마음 상태를 100%는 아니지만 예상할 수 있다.

1. 빨간 옷:

주의를 끌고 싶거나, 자신감을 표현하고 싶거나, 활발하고 에너지 넘치는 마음 상태일 가능성이 높다. 사랑에 대한 열정을 드러내거나, 흥분된 감정을 표현할 수도 있다.

2. 파란 옷:

평온하고 안정적인 마음 상태를 원하거나, 신뢰감을 주고 싶거나, 지성적이고 차분한 이미지를 연출하고 싶을 때 입는 경우가 많다. 우울감이나 침울한 마음을 나타낼 수도 있다.

3. 노란 옷:

긍정적이고 희망적인 마음, 기분 좋은 에너지를 발산하고 싶거나, 주변 사람들에게 밝은 인상을 주고 싶을 때 선택하는 색이다. 관심을 끌거나, 유쾌하고 활발한 이미지를 연출하기 위해 착용하기도 한다.

4. 초록 옷:

자연과의 교감을 원하거나, 평온하고 편안한 마음 상

태를 유지하고 싶을 때 입는 색이다. 힐링 효과를 기대하거나, 조화로운 분위기를 조성하고 싶을 때 선택하기도 한다. 질투심이나 독선적인 면을 드러낼 수도 있다.

5. 보라 옷:

고급스럽고 우아한 이미지를 연출하고 싶거나, 자신만의 개성을 표현하고 싶을 때 착용하는 색이다. 신비로운 매력을 발산하거나, 창의적인 감성을 드러내는 데에도 사용된다. 자만심이나 거만한 태도를 보일 수 있다.

6. 검은 옷:

자신감을 표현하고 싶거나, 강력하고 카리스마 넘치는 이미지를 연출하고 싶을 때 선택하는 색이다. 슬픔이나 우울감을 감추거나, 무관심하고 차가운 태도를 보이고 싶을 때 착용하기도 한다.

7. 흰색 옷:

순수하고 깨끗한 이미지를 연출하고 싶거나, 새로운 시작을 상징하는 의미로 착용하는 색이다. 겸손하고 단순한 면을 보여주거나, 차갑고 무덤덤한 태도를 나타낼 수도 있다.

8. 회색 옷:

중립적이고 안정적인 태도를 유지하고 싶거나, 주변에 압박감을 주지 않고 싶을 때 선택하는 색이다. 지루하거나 무관심한 마음 상태를 드러낼 수도 있다.

여기 까지는 단색을 기본으로 심리적 해석을 한 것이,

옷 색깔 조합은 단색보다 더 복잡하고 다양한 의미를 내포할 수 있다. 색상 간의 조화, 상황, 피부톤, 체형, 나이, 개성 등을 고려하면 더 복잡하다. 색상 간의 조화로 자신만의 개성이나 안정적인 이미지를 드러낼 수 있는 색상조합을 시도할 수 있다.

1. 보색:

서로 반대되는 색상을 조합하면 강렬하고 대조적인 느낌을 줍니다. 예를 들어, 빨강과 초록, 파랑과 주황 등이 있다.

2. 유사색:

서로 가까운 색상을 조합하면 조화롭고 안정적인 느낌을 줍니다. 예를 들어, 파랑과 초록, 빨강과 주황 등이 있다.

3. 무채색:

검정, 흰색, 회색과 같은 무채색은 다른 색상과 조합하여 다양한 효과를 낼 수 있다. 예를 들어, 검정색은 다른 색상을 더 어둡게 보이게 하고, 흰색은 다른 색상을 더 밝게 보이게 한다.

색상 조합의 옷은 개인의 경험, 문화, 상황에 따라 다를 수 있다. 모든 여자에게 동일하게 적용되는 것은 아니다. 더 복잡하고 다양한 의미를 내포하고 있기 때문이다.

[출구 팁1] 여자가 옷 색깔 선택시 고려해야 할 사항

1. 피부톤: 자신의 피부톤에 맞는 색상을 선택하는 것이 중요하다.
2. 상황: 옷을 입는 상황에 맞는 색상을 선택해야 한다.
3. 기분: 옷 색깔이 자신의 기분에 어떤 영향을 미치는지 고려해야 한다.
4. 체형: 자신의 체형을 가려주는 색상을 선택하는 것이 좋다
5. 나이: 자신의 나이에 맞는 색상을 선택하는 것이 좋다.
6. 개성: 자신만의 개성을 표현할 수 있는 색상을 선택하는 것이 좋다.
7. 트렌드: 최신 옷 색깔 트렌드를 참고하는 것도 좋은 방법이다.

[출구 팁2] 여자의 옷 색깔에 대해 남자가 알아두면 좋은 정보

 1.빨강: 여자는 데이트 코스에서 적극적인 모습을 보이고 싶을 때 빨간색 옷을 입을 가능성이 높다. 빨간색 옷을 입은 여자에게는 자신감 있고 적극적인 태도로 다가가는 것이 좋다.

2. 파랑: 여자는 편안하고 진지한 대화를 원할 때 파란색 옷을 입을 가능성이 높다. 파란색 옷을 입은 여자에게는 차분하고 진지하게 대화를 시도하는 것이 좋다.

3, 노랑: 여자는 즐겁고 활기찬 분위기를 원할 때 노란색 옷을 입을 가능성이 높다. 노란색 옷을 입은 여자에게는

유머 감각을 보여주고 즐거운 시간을 보내는 것이 좋다.

4. 초록: 여자는 편안하고 차분한 데이트를 원할 때 초록색 옷을 입을 가능성이 높다. 초록색 옷을 입은 여자에게는 자연스럽고 편안한 분위기를 만들어주는 것이 좋다.

5. 보라색: 여자는 특별하고 인상적인 데이트를 원할 때 보라색 옷을 입을 가능성이 높다. 보라색 옷을 입은 여자에게는 특별하고 신중하게 다가가는 것이 좋다.

6. 검정: 여자는 자신감 있고 강인한 모습을 보이고 싶을 때 검정색 옷을 입을 가능성이 높다. 검정색 옷을 입은 여자에게는 무거운 분위기보다는 편안하게 다가가는 것이 좋다.

7. 흰색: 여자는 새로운 관계를 시작하고 싶을 때 흰색 옷을 입을 가능성이 높다. 흰색 옷을 입은 여자에게는 순수하고 깨끗한 이미지를 유지하면서 다가가는 것이 좋다.

8. 회색: 여자는 편안하고 조용한 분위기를 원할 때 회색 옷을 입을 가능성이 높다. 회색 옷을 입은 여자에게는 무거운 분위기보다는 편안하게 다가가는 것이 좋다.

4장

행복의 미로
: 나만의 지도를 만들다.

56. 준비는 큰 것부터다(혼수용품 막막하다)

혼수용품 생각하니 막막하다. 집을 사든, 전세든, 월세든 간에 신혼부부 집을 준비했다면 무엇을 먼저 사야하는지, 온라인 구매를 할 것인지, 판매점을 직접 방문하여 확인 후 구매해야 할지를 생각하게 된다. 먼저 집의 구조, 구매 품목 배치도, 구매예산, 혼수용품 가격비교표, 할인행사 등 조사하고 혼수용품 구매 준비해야 한다. 혼수용품 구매는 큰 물건부터 시작해야 한다.

예를들면, 큰 물품은 장롱, 침대, 화장대, 식탁, 식탁 의자, 소파, 거실테이블, 책상, 수납장, 장식장 등 주로 가구 품목이다. 중간크기의 물품은 냉장고, 김치냉장고, 세탁기, TV, 전기밥솥, 믹서기, 식기세척기, 청소기, 가습기, 헤어드라이어 등 가전제품이다. 보통크기의 물품은 그릇세트, 수저 세트, 프라이팬, 김치통, 양념통, 조리기구, 포크, 찻잔, 머그잔, 쟁반, 주전자, 냄비, 앞치마, 칼, 도마, 가위, 수세미 등 주방용품과 커튼, 이불, 요, 베개, 방석, 쿠션, 다리미, 변기 세정제, 슬리퍼, 면도기, 휴지통, 칫솔살균기, 옷걸이 등의 생활용품이다.

혼수준비를 위한 품목별 기준은 다음과 같이 정해 보자. 첫째, 신혼부부에게 중요한 것과 경제적 가치가 높은 큰

물품부터 시작한다. 둘째, 여가생활과 관련 있는 품목이어
야 한다. 셋째, 안락하고 편리한 생활을 위한 생활용품이
어야 한다.

집 구조와 배치도를 그린 다음, 품목별로 준비하면 혼수
준비는 잘 마무리할 수 있다. 혼수준비 우선순위 품목에
포함되지 않은 자잘한 살림들은 살아가면서 하나하나 마
련하는 재미로 구매하는 것이 더 좋다.

[출구 팁] 혼수용품 준비
혼수용품 준비는 결혼 준비 과정에서 중요한 부분이지만,
많은 신랑 신부들이 어떻게 해야 할지 막막하게 느낀다.
이때 혼수용품 준비를 위한 몇 가지 팁을 고려한다.

1. 파트너와 충분히 상의한다
   . 서로 필요한 혼수용품에 대한 생각을 나누고, 리스트
     를 작성한다.
   . 예산을 정하고, 어떤 품목을 우선적으로 준비할지 결
     정한다.
   . 서로 부담이 되지 않는 범위에서 혼수용품을 준비한
     다.

2. 가족, 친척, 지인의 조언을 구한다.
   . 혼수용품 준비 경험이 있는 가족이나 친척들에게 조언

을 구한다.

. 필요한 품목이나 준비 방법에 대한 정보를 얻는다.

. 혼수용품 관련 전문가에게 조언을 구한다

3. 혼수용품 전문 매장이나 온라인 쇼핑몰을 이용하다.

. 다양한 혼수용품을 비교해보고, 자신에게 맞는 제품을 선택한다

. 할인 행사나 프로모션을 이용하면 저렴하게 혼수용품을 준비할 수 있다.

. 온라인 쇼핑몰 이용시, 제품 후기나 구매 후기를 참고하여 구매하는 것이 좋다.

4. 혼수용품 리스트를 작성한다.

. 침구류 (이불, 요, 베개, 침구 세트 등)

. 가전제품 (TV, 냉장고, 세탁기, 에어컨 등)

. 주방 용품 (냄비, 프라이팬, 식기, 컵 등)

. 가구 (침대, 소파, 테이블, 의자 등)

. 기타 (욕실 용품, 청소 용품, 장식품 등)

5. 꼼꼼하게 검토하고 준비한다.

. 혼수용품을 구매하기 전에 꼼꼼하게 검토하여 결함이 없는 제품인지 확인한다.

. 제품의 보증 기간과 AS 정책을 확인한다.

. 혼수용품을 운반하고 보관할 공간을 미리 확보한다.

혼수용품 준비는 결혼 생활을 준비하는 과정이다. 서로의
의견을 존중하고, 충분히 상의하여 꼼꼼하게 준비한다

57. 입지, 입지, 입지다(주택〈아파트,빌라 등〉 매수할 때)

주택를 매수할 때 최우선으로 생각해야 할 사항은 입지, 입지, 입지다. 입지에따라 부동산가격에 큰 영향을 미치기 때문이다. 주택(아파트, 빌라 등)을 매수할때 입지조건과 건물구조를 살펴보자. 입지조건은 교통여건, 교육환경, 편의시설, 쾌적한 위치, 주변에 공원과 녹지 유무 등이다. 건물구조는 주차장, 건물 외곽, 건물 내부의 구조, 학교와의 동선, 남향인지 등이다. 입지조건과 건물구조는 고려해야 할 최우선순위이다.

입지조건 중 가장 중요하게 고려해야 할 사안은 교통여건과 교육환경이다. 교통여건은 버스, 자동차, 지하철과의 접근성이다. 교육환경은 명문 고등학교, 유명 학원가 주변이 좋다. 하지만 교육환경은 비평준화가 평준화로 이동하면서 중요도가 점점 떨어지고 있다. 건물구조 중 가장 중요하게 고려해야 할 사안은 첫째, 남향이고 건물구조는 내가 그리는 배치도에 맞는 공간을 할당할 수 있어야 한다. 둘째, 층간소음 정도와 층간 흡연자 유무를 알아보아야 한다. 셋째, 밤늦게 퇴근하였을 때 주차할 수 있는 주차공간이 있어야 한다. 넷째, 건설회사의 브랜드를 고려한다. 건설회사 브랜드는 가격에 영향을 미치기 때문이다.

[출구 팁] 주택 등 매수시 고려사항

주택(아파트, 빌라 등) 매수할때는 인생에서 가장 중요한 결정 중 하나다. 후회 없는 선택을 위해 다음 사항을 꼼꼼하게 고려해야 한다.

1. 예산
    . 주택 구입 비용 (매매 가격, 취득세, 중개 수수료 등)
    . 주택 유지 비용 (관리비, 주택 유지 보수 비용 등)
    . 주택 관련 대출 (주택담보대출, 주택청약저축 등)
    (예시)
    . 주택 구입 예산을 정하기 위해 가계 수입과 지출을 꼼꼼하게 분석한다.
    . 주택 구입 후 발생할 수 있는 예상치 못한 비용을 고려하여 충분한 여유 자금을 확보한다.
    . 주택담보대출의 상환 능력을 고려하여 적절한 대출 금액을 선택한다.

2. 위치(입지)
    . 직장, 학교, 병원, 상점 등 주요 시설과의 거리
    . 대중교통 접근성
    . 주변 환경 (소음, 안전 등)
    . 미래 개발 계획

(예시)

. 직장과 가까운 위치를 선택하여 출퇴근 시간을 줄인다.

. 자녀 교육을 고려하여 좋은 학교가 있는 지역을 선택
한다.

. 안전하고 조용한 주거 환경을 선호한다.

. 미래 개발 계획을 확인하여 주택 가치 상승 가능성을
고려한다.

3. 주택 조건

. 면적, 층수, 방향, 구조

. 노후화 정도, 리모델링 여부

. 주거주택(아파트 등) 건물관리 상태

(예시)

. 가족 구성원 수를 고려하여 적절한 면적의 주택을
선택한다.

. 햇빛과 바람을 잘 받는 층수와 방향을 선호한다.

. 노후화 정도가 심하거나 리모델링이 필요한 주택은
신중하게 검토한다.

. 관리 상태가 양호한 주택은 관리비 부담을 줄일 수
있다.

4. 주변 시설

. 학교, 병원, 공원, 상점 등 생활 편의시설

. 주차 공간

(예시)

. 생활에 필요한 시설들이 가까운 거리에 있는지 확인
한다.

. 충분한 주차 공간이 확보되어 있는지 확인한다.

5. 법적 문제

. 부동산 등기부 등본 확인

. 주택 담보 대출 여부 확인

. 법적 분쟁 여부 확인

(예시)

. 전문가와 함께 부동산 등기부 등본을 확인하여 법적
문제가 없는지 확인한다.

. 주택에 담보 대출이 설정되어 있는 경우, 상환 계획을
고려해야 한다.

. 주택과 관련된 법적 분쟁이 없는지 확인한다.

6. 전문가 활용

. 부동산 중개인, 변호사, 건축 전문가 등 전문가의
도움을 받는 것이 좋다.

(예시)

. 부동산 중개인에게 시세 조사, 주택 추천 등을 의뢰한다.

. 변호사에게 법적 검토를 의뢰한다.

. 건물관리 전문가에게 주택 상태 점검을 의뢰한다.

7. 충분한 시간 투자

. 여러 주거주택(아파트 등)을 비교해보고, 충분히
검토하여 결정한다.

(예시)

. 주택 구입은 성급하게 결정해서는 안 된다.

. 충분한 시간을 투자하여 자신에게 가장 적합한 주택
(아파트, 빌라 등)을 선택한다.

주택(아파트, 빌라 등) 구매는 신중하게 결정해야 할 중요
한 일이다. 위에서 언급한 고려사항들을 잘 체크하여 후
회 없는 선택을 하길 바란다..

58. 스펙 쌓기가 전부가 아니다
(MZ세대 직업 선택의 어려움)

MZ세대는 이전 세대와 비교했을 때 직업 선택에 있어 더 많은 고민과 어려움을 겪고 있다. 변화하는 사회 환경과 불안정한 경제 상황 속에서 자신에게 맞는 직업을 찾는 것은 쉽지 않다. MZ세대는 취직을 위해 많은 스펙을 쌓고 쌓아도 취직하기가 하늘의 별을 따는 것만큼이나 힘들다. 힘들게 회사에 들어가도 적성에 맞지 않고 조직문화에 적응하지 못하여 1년도 못하고 회사를 그만두는 사례가 빈발하고 있다. 이는 개인에게는 삶의 시간 낭비이고 조직은 인력 부재로 인한 조직력 낭비 요인이 되고 있다. 이는 사회적인 문제이다.

'나는 어떤 직업을 선택하는 것이 좋을까?', '내 적성에 맞는 직업을 찾을 수 있을까?', '내 적성에 맞는 직업을 선택할 때 우선 고려해야 할 사항은 무엇인가?', '중요도와 우선순위와 관계없이 직업을 선택할 때 미래를 보장할 수 있다고 할 수 있는가?'에 관한 생각하고 또 생각을 해야 한다.

[출구 팁] MZ세대의 직업 선택에 도움이 될 수 팁

1. 자기 성찰

. 자신의 가치관, 흥미, 강점, 약점을 파악하는 것이
중요하다.

. 어떤 일을 하고 싶은지, 어떤 삶을 살고 싶은지에 대해
깊이 생각한다.

. MBTI, 강점찾기 등 다양한 도구를 활용할 수 있다.

(예시)

. 여가 시간에 즐기는 활동을 통해 자신의 흥미를 파악
한다.

. 과거 경험을 되돌아보고, 자신이 잘했던 일이나 칭찬받
았던 경험을 분석한다.

. 자신에게 중요한 가치관을 리스트업하고, 그 가치관을
실현할 수 있는 직업을 고려한다.

2. 정보 수집

. 다양한 직업에 대한 정보를 수집하고 분석한다.

. 인터넷, 책, 전문가 인터뷰, 직업 체험 프로그램 등을
활용한다.

. 특정 직업에 대한 현실적인 정보를 얻는 것도 중요하다.

(예시)

. 관심 있는 직업에 근무하는 사람들과 직접 인터뷰를
한다.

. 채용 박람회나 설명회에 참여하여 기업 정보를 얻는다.

. 온라인 커뮤니티나 블로그를 통해 다양한 직업 정보를
얻는다.

3. 경험 쌓기

. 인턴십, 봉사활동, 아르바이트 등 다양한 경험을 통해
실무 경험을 쌓는다.

. 경험을 통해 자신의 적성과 흥미를 확인한다.

. 실무 경험은 취업 경쟁력을 높여준다.

(예시)

. 대학교에서 제공하는 인턴십 프로그램에 참여한다.

. 봉사활동을 통해 사회 경험을 쌓고 자신의 가치관을
실현한다.

. 아르바이트를 통해 다양한 직무를 경험하고 실무 능력
을 키운다.

4. 네트워킹

. 다양한 사람들과의 만남을 통해 정보와 기회를 얻는다.

. 동문회, 멘토링 프로그램, 커뮤니티 등에 참여한다.

. 인맥은 취업에 도움이 될 수 있지만, 무조건 취업을
목표로 하는 네트워킹은 피한다.

(예시)

. 동문회 행사에 참여하여 동문들과 인맥을 형성한다.

. 멘토링 프로그램을 통해 경력자의 조언을 듣는다.

. 온라인 커뮤니티에 참여하여 관심 분야의 사람들과 소통한다.

5. 멘토 찾기

. 자신의 목표와 비슷한 경험을 가진 멘토를 찾아 조언을 구한다.

. 멘토는 직업 선택, 경력 개발 등에 도움을 줄 수 있다.

. 멘토와의 관계는 상호 존중과 신뢰를 바탕으로 해야 한다.

(예시)

. 대학교 교수, 직장 선배, 전문가 등을 멘토로 고려한다.

. 멘토에게 자신의 목표와 고민을 솔직하게 이야기한다.

. 멘토의 조언을 잘 듣고, 자신의 발전에 적용한다.

MZ세대 직업 선택은 단순히 안정적인 직업을 찾는 것이 아니다, 자신의 가치관과 흥미를 실현할 수 있는 삶의 방식을 찾는 과정이다. 위에서 언급한 팁들을 참고하여 자신에게 맞는 직업을 선택하고, 만족스러운 삶을 누리자.

59. SNS도구는 다음이다(사람이 먼저다)

스마트폰 사용이 급증하고 있다. 현재 세계에서 가장 큰 인구수를 가진 나라는 14억 인도이고 그 다음은 3백만명이 적은 중국이다. 문제는 페이스북이다. 페이스북 일일 사용자수는 1억9천만명이고 월간 사용자수는 2억8천만명이다. 세계에서 가장 큰 인구수를 가진 나라는 페이스북이다. 페이스북은 모두가 애용하는 SNS 소통도구이다. 주로 사용하는 SNS도구는 카톡, 페이스북, 트위터, 카카오톡, 카카오스토리, 인스타그램, 틱톡, 라인 등이다.

정보통신정책연구원 자료에 의하면 SNS사용이 가장 많은 시간대는 18시에서 23시이다. SNS는 친구, 취미, 관심사 등을 토대로 사회적 네트워크를 형성한다. 요새는 스마트폰 사용이 일상화되어 있다. 관심 있는 사람과의 SNS소통은 나를 인정하고 상대를 인정하는 효과를 가져올 수 있다. 하지만 면대면 만남의 소통을 통한 감성적인 쌍방향 소통에는 한계가 있다.

수백 명의 SNS소통 인맥을 형성했다고 한들 이들과의 실시간 대화는 진정성이 살아있다고 할 수 있을까? 하는 의구심이 생긴다. 예를들면 지하철이나 버스를 타든, 집에서 TV를 보든, 회의 중이든, 면대면 대화중이든 어디에서든 스마트폰을 바라보는 모습을 보았을 것이다. 나도 그랬다. 어떨 때는 면대면 대화중에도 스마트폰을 보고 메시지를 보거나 카톡을 하면서도. 이러면 안 되는데 하면서도 TV를 보면서 대화를 하면서 자꾸 본다. 중독인가? 순간 나는 내가 SNS라는 소통도구의 지배를 받고 있다는 느낌이 든다.

사람과의 관계에서 왜 나는 SNS도구의 지배를 받고 있는 것인가라는 생각을 자주한다. 스마트폰을 활용한 SNS 소통도구는 어떻게 사용하느냐에 따라 좋을 수도 있고 나쁠 수도 있다. 어떻게 사용하느냐는 내가 결정할 문제다. 사람과의 관계는 마음과 마음이 통하는 소통이 우선이다. SNS 소통도구는 사람과의 신뢰를 형성하는 하나의 도구일 뿐이다. 다른 사람을 인정하고 내가 인정받기 위해서는 스마트폰의 지배를 받을 필요가 없다. SNS는 현대 사회에서 없어서는 안 될 중요한 도구이지만, 사람과의 관계보다 우선시되어서는 안된다. SNS는 연결을 위한 도구이지, 연결 자체가 아니다.

SNS는 사람과의 관계를 풍요롭게 만드는 도구가 될 수 있지만, 주의 없이 사용하면 오히려 관계를 해칠 수 있다. 사람과의 관계를 우선시하고, 책임감 있게 SNS를 사용하여 건강하고 행복한 삶을 살아가야 한다.

[출구 팁] SN S 유익한 활용방법과 주의사항

	특징	유익한 활용 방법	주의사항
페이스북	친구, 가족과의 소통, 정보 공유	* 친구 및 가족과 소통하기 * 관심 분야 정보 얻기 * 이벤트 및 그룹 참여	* 개인정보 노출 주의 * 가짜뉴스 및 악플에 주의 * 중독 가능성 주의
인스타그램	사진 및 동영상 공유, 커뮤니티 형성	* 사진 및 동영상 업로드 및 공유 * 관심 분야 계정 팔로우 * 좋아요 및 댓글을 통한 소통	* 사이버 폭력 및 혐오 발언 주의 * 비교 의식 및 자존감 저하 주의 * 개인정보 노출 주의
유튜브	동영상 시청 및 제작, 커뮤니티 형성	* 관심분야 동영상 시청 * 좋아요 및 댓글을 통한 소통 * 구독 및 채널 운영	* 부적절한 콘텐츠 시청 주의 * 중독 가능성 주의 * 댓글 및 채팅 매너 주의
트위터	짧은 메시지(트윗) 공유, 실시간 정보 확인	* 짧은 메시지로 의견 및 정보공유 * 뉴스 및 트렌드 확인	* 혐오 발언 및 악플에 주의 * 가짜뉴스 및 루머 주의

		* 관심 분야 계정 팔로우	* 정보 과부하 주의
틱톡	짧은 동영상 제작 및 공유, 엔터테인먼트	* 짧은 동영상 시청 및 제작 * 좋아요 및 댓글을 통한 소통 * 트렌드 및 챌린지 참여	* 부적절한 콘텐츠 시청 주의 * 중독 가능성 주의 * 개인정보 노출 주의

60. 질문이다(소통의 시작)

소통의 시작은 질문이다. 리더는 지시하는 사람이 아니다. 리더는 질문하는 사람이다. 지시하는 사람은 리더십 부재자이다. 지시하는 리더는 윗사람의 생각이나 방침을 앵무새처럼 전달하는 역할을 할 뿐이다. 앵무새는 주인의 말을 따르고 흉내낼 뿐이다. 진정한 리더라면 질문하고 상대방의 입장에서 경청하는 자세가 필요하다. 지시하는 리더보다는 질문하는 리더에게 상대방은 마음의 문을 연다. 소통은 질문으로 시작해야 한다. 질문은 자신의 의견을 관철하기 위한 주장보다는 상대의 의견을 존중하고 배려하고 경청하는 시발점이다.

질문은 '예, 아니오'라는 폐쇄형 질문을 말하는 것이 아니다. 이분법적인 폐쇄형 질문은 짧고 내용이 단순하다. 깊은 대화를 유도하기보다는 밀어붙이는 일방적인 커뮤니케이션이다. 반면 '~에 관하여 당신의 생각은 무엇입니까?'라는 개방형 질문은 상대방과의 공감을 통해 자신의 의견과 생각을 터놓고 말할 수 있는 마음의 대화로 발전한다. 일상생활에서 가족간, 친구간, 얘인과의 대화에서도 먼저 말하든, 나중에 말하든 질문으로 대화의 문을 여는 것이 좋다.

소통은 인간관계의 가장 중요한 요소 중 하나다. 서로의 생각과 감정을 공유하고 이해하기 위해서는 효과적인 소통이 필수적이다. 효과적인 소통의 시작은 질문이다. 질문은 상대방에 대한 관심을 보여주고, 대화를 이끌어 나가며, 새로운 정보를 얻을 수 있는 좋은 방법이다. 소통은 인간관계의 기반이며, 소통은 양질의 관계를 만드는 데 효과적이다. 질문은 상대방에 대한 관심과 경청을 보여주며, 대화를 이끌어 나가고 더 깊은 이해를 이끌어내는 힘이 있다.

[출구 팁] 질문은 소통의 시작이다.

1. 질문을 통해 얻을 수 있는 것
   . 상대방에 대한 생각, 감정, 가치관, 경험 등을 이해할 수 있다.
   . 상대방의 입장에 서서 생각하고 공감할 수 있다
   . 서로 다른 의견을 조율하고 해결책을 찾는 데 도움이 된다.
   . 상대방과의 유대감을 형성하고, 더 깊은 관계를 만들 수 있다.

2. 질문의 종류

. 개방형 질문은 상대방이 자유롭게 답변할 수 있는 질문이다

(예: "어떤 일을 좋아하세요?", "최근에 흥미로운 일은 없었나요?")

. 폐쇄형 질문은 "예" 또는 "아니오"로 답변할 수 있는 질문이다

(예: "오늘 일은 잘 마무리했나요?", "이 영화 재미있었나요?")

. 확인 질문은 상대방의 말을 정확하게 이해했는지 확인하는 질문이다

(예: "말씀하시는 의미는 이렇다는 것이 맞나요?", "혹시 제가 잘못 이해한 부분이 있나요?")

. 추가 질문은 상대방의 답변을 더 깊이 파헤치는 질문이다

(예: "그 이유는 무엇인가요?", "좀 더 자세히 설명해 주실 수 있나요?")

3. 질문을 할 때 주의해야 할 점

. 상대방의 입장을 고려하여 질문

. 공격적이거나 불편한 질문은 피하기

. 질문 후에는 상대방의 답변에 귀 기울이고 경청하기

4. 질문 예시:

. 직장 동료에게: "오늘 프로젝트 진행 상황은 어떠세요? 제가 도울 수 있는 부분이 있을까요?"

. 친구에게: "최근에 새로운 취미를 시작했다고 들었는데, 어떤 취미인지 궁금해요."

. 가족에게: "오늘 하루 어떻게 지냈나요? 힘든 일은 없었나요?"

. 파트너에게: "요즘 우리 관계에서 뭔가 부족하다고 느껴지는데, 어떻게 생각하세요?"

질문은 소통의 열쇠입니다. 적극적으로 질문을 통해 상대방과 소통하고, 더 깊은 관계를 만들어 나갑시다.

61. 이야기 거리가 있다
(결혼 전과 후 부부 간 대화의 변화)

결혼은 두 사람이 하나의 가정을 이루는 중요한 결정이다. 하지만 결혼 전과 후 부부 간 대화는 놀라울 정도로 변화가 일어난다. 결혼 전과 후 부부 간 대화의 변화요인을 보면 다음과 같다.

첫째. 설렘과 로맨스에서 현실과 책임으로의 변화다. 결혼 전에는 서로에게 매력을 느끼고 사랑을 표현하는 대화가 주를 이루었다. 데이트 계획, 미래에 대한 꿈, 서로의 취향과 관심사에 대한 이야기가 끊이지 않았다. 하지만 결혼 후에는 생활 속 현실적인 문제들에 대한 대화가 늘어난다. 가계 관리, 자녀 양육, 가족 관계 등 다양한 책임과 의무를 함께 나누면서 대화의 주제도 자연스럽게 변하게 되었다. 둘째, 자유로운 의견 교환에서 타협과 조율의 과정으로의 변화다. 결혼 전에는 서로의 의견을 자유롭게 표현하고 솔직하게 토론하는 모습이 흔하다. 하지만 결혼 후에는 서로의 입장과 생각을 고려하여 타협하고 조율하는 과정이 많다. 의견 충돌이 발생할 때도 서로를 존중하고 이해하는 태도를 유지하며 해결책을 찾으려고 한다. 셋째, 빈번한 소통에서 편안한 침묵으로의 변화다. 결혼 전에는 끊임없이 연락하고 대화하며 서로를 확인하고 싶어했다. 하지만 결혼 후에는 함께 시간을 보내는 것이 당연해지면서 빈번한 소통이 줄어든다. 편안한 침묵 속에서 서로의 존재를 느끼는 것으로도 결혼 생활의 중요한 부분이 되었다. 넷째, 개인적인 공간에서 공동의 공간으로의 변화다. 결혼 전에는 개인적인 생각과 감정을 자유롭게 표현했다. 하지만 결혼 후에는 부부라는 공동의 공간을 만들어나가는 것이 더 중요해졌다. 서로의 생각과 감정을 공유하고 이해하면서 공동의 가치관과 목표를 설정해야만 하는 단계로 변했다.

결혼 전과 후의 대화의 내용을 보면 변화원인을 이해할 수 있다. 결혼 전에는 로맨틱하고 흥미로운 대화를 했다. 서로의 관심사, 가치관, 미래 계획 등을 공유하며 즐거운 시간을 보냈다. 상대방의 말에 귀 기울이고 공감하며, 적극적으로 질문하고 응답했다. 결혼 후에는 가정, 자녀, 일, 재정 등 생활 관련 문제에 대한 일상적인 대화가 늘어났다. 바쁜 가사 일, 일과 가사, 아이돌봄 피로감 시부모와의 관계 등으로 서로의 말에 집중하기 보다는 더더 쉬고 싶어졌다.

이런 결혼 전과 후 부부간 대화의 변화는 시간이 지남에 따라 서서히 사라지는 경향이 있다. 결혼 전과 결혼 초는 대화가 자연스럽게 잘 된다. 왜 그럴까? 이는 결혼 전과 결혼 초 대화의 관점과 대화의 내용이 공통적인 관심분야의 맥락에 함께 공존하고 있기 때문이다. 하지만 결혼 후 시간이 흘러갈수록 공통적인 관심분야의 맥락이 좁혀지고 대화의 관점과 주제가 달라진다. 서로 다른 관점과 주제로 동문서답하는 사례가 많기 때문이다. 예를들면, 결혼 초에는 몇 명의 자녀를 낳을까? TV드라마를 뭘 볼까? 부모님 생신 때 뭘 선물할까? 임대차 2년 후 이사를 어디로 갈까? 등 공통적인 맥락에서 대화가 이루어지기 때문에 대화 주제와 관점에서 함께 있다.

하지만 결혼 후 시간이 흘러흘러 지나가면 갈수록 TV를 볼 때 남편은 스포츠를, 아내는 드라마를 중심으로 보게 된다. 저녁 식사는 남편은 업무상 술과 식사로, 아내는 자식과 저녁을 먹다. 제사준비는 아내가 하고, 제사 의식은 남편이 한다. 주말에 아내는 자녀 공부를 지도한다, 주말에 남편은 조기축구나 등산을 한다. 공통적인 맥락에서의 대화 주제와 관점이 점점 멀어진다. 그래서 대화의 문은 좁아진다. 가정의 행복과 자녀 교육을 위해서도 부부의 대화는 중요하다. 부부 대화의 문을 넓히는 방안은 있다. 그것은 부부 대화의 우선순위를 정하는 것이다. 부부 대화의 우선순위는 서로의 관심분야를 이해하고 서로 만족할 수 있는 공통된 주제를 찾는 방법이다.

부부 대화의 우선순위를 정해보자. 첫째, 부부가 이야기할 수 있는 공통 관심사를 찾는 것이다. 사람들의 관심사가 다르듯 부부간에 관심사도 다르다. 아내는 집안 청소에 관심을 두고, 남편은 사회적 이슈에 관심을 두면 대화하기 어렵다. 부부 대화의 관심사를 튜닝하기 쉽지 않다. 대화의 주제를 먼저 양보하고 상대방의 이야기에 관심을 두어야 한다.

둘째, 공통 관심사에 대한 우선순위를 정하는 것이다. 오늘 주제의 공통 관심사를 남편이 먼저 말할 것인지, 아내가 말한 것인지 정할 필요는 없다. 누가 하든 공통 관심 주제를 먼저 말하면 된다. 그러면 자연스럽게 이야기가 진행된다. 이때 상대방에게 질문 형식으로 이야기한다. 그래야 이야기가 이야기를 만들어 이어진다.

셋째, 부부 대화는 시작과 끝이 있어야 한다. 그러나 예외적으로 공통 관심 주제를 가지고 끝이 없이 대화한다면 다음번 대화에서 사용할 주제의 문이 좁혀진다. 만족스러운 대화를 했다면 끝맺음을 하고 다음 관심 주제로 대화하든지 잠시 자신들만의 시간을 가질 필요가 있다.

[출구 팁1] 부부간 대화는 이렇게 해보자

	공동 주제	예시
일상 생활	오늘 하루 어땠어?	오늘 회의 어땠어? 힘든 일 없었니?
	오늘 있었던 재미있는 일은?	오늘 회사에서 재밌는 일 있었어. 동료들이 맛있는 케이크 사왔거든.
	힘들거나 걱정되는 일은 없어?	요즘 갑자기 일이 너무 많아서 걱정이 많아.
	이번 주말에 뭐 할까?	이번 주말에 영화 보러 갈래?
	다음 여행 계획은?	다음 여름에는 가족 여행 가고 싶어.
취미 및 관심사	같이 좋아하는 영화, 드라마, 음악에 대한 이야기	어제 나온 드라마 재밌었어?
	최근에 읽은 책이나 기사에 대한 토론	요즘 재미있는 책 읽고 있는데 너도 같이 읽어봐.
	같이 하는 취미 활동에 대한 이야기	이번 주말에 자전거 타러 갈래?
	새로운 취미 활동을 함께 시작해보는 것	요즘 요가 배우고 있는데 같이 배우는 건 어때?
가정 및	자녀의 학교 생활 및	오늘 아이 학교에서 어

	양육에 대한 이야기	땠어?
자녀	가족 계획 및 가정 경제에 대한 토론	이번 달 가계부 봤니?
	가족 행사 및 여행 계획	다음 가족 여행 어디 갈까?
	가족과의 관계 및 갈등 해결	요즘 시댁에 가면 기분이 안 좋아.
개인적인 생각 및 감정	서로의 꿈과 목표에 대한 이야기	너의 꿈은 뭐야?
	가치관 및 인생에 대한 토론	인생에서 중요한 것ㅇ 何だと思う?
	솔직한 감정과 고민을 나누는 시간	요즘 힘든 일이 많아서 힘들어.
	서로에게 칭찬과 감사를 표현하는 것	오늘 고생 많았어. 고마워.
사회 및 문화	최근 사회 이슈 및 뉴스에 대한 토론	요즘 뉴스에서 재밌는 이슈 있었어?
	관심 있는 문화 행사 참여 및 이야기	이번 주말에 미술관 갈래?
	사회 문제에 대한 서로의 생각과 의견	최근 사회 문제에 대해 어떻게 생각해?
	자원봉사 활동 참여	같이 자원봉사 활동 해보는 건 어때?
건강 및 운동	건강 관리 및 운동 계획	요즘 운동 안 하고 있는데 같이 운동 할래?
	건강 검진 및 질병 예방	건강 검진 꼭 가야지.

	건강한 식습관 및 생활 습관	요즘 건강한 식사 안 하고 있는데 같이 건강 하게 먹자.
	함께 운동을 하거나 스 포츠 활동 참여	이번 주말에 같이 등산 갈래?
미래 계획	은퇴 계획 및 노후 준비	은퇴 후에는 뭐 할까?
	재정 관리 및 투자 계획	요즘 재테크 하고 있는 데 같이 해보는 건 어 때?
	미래에 대한 꿈과 목표	앞으로 어떤 삶을 살고 싶어?
	함께 하고 싶은 일들	앞으로 같이 하고 싶은 일이 많아.
기타	서로에게 흥미로운 이 야기를 들려주는 것	요즘 재밌는 일 있었어?
	새로운 경험을 함께 하 는 것	같이 새로운 경험 해보 는 건 어때?
	함께 웃고 즐거운 시간 을 보내는 것	오늘 즐거웠어.
	서로의 성장을 응원하 고 격려하는 것	항상 응원할게.

[출구 팁2] 부부 간 대화시 주의사항

. 비난과 공격 금지: 상대방을 비난하거나 공격하는

　말은 대화를 악화시킬 뿐이다.

. 과거 언급 금지: 과거의 실수나 문제를 반복적으로
  언급하는 것은 상대방에게 상처를 준다.

. 방어적인 태도 금지: 상대방의 말에 방어적인 태도를
  취하면 대화가 진전되지 않는다.

. 비교 금지: 다른 부부와 자신들의 관계를 비교하는 것
  은 불필요한 갈등을 유발할 수 있다.

. 감정 표현 금지: 화가 났거나 짜증이 난 상태에서는
  솔직한 감정 표현보다는 진정 후 대화하는 것이 좋다.

62. 사람과의 관계(맺음과 유지)

사람과의 관계 속에서 살고 있다. 사회적 동물이다. 태어나 가족과의 관계, 학교에 다니면서 친구와의 관계, 조직 생활을 하면서 상사나 부하직원과의 관계, 사회생활을 하면서 필요한 사회적 인간관계 등 사람과의 관계는 너무 복잡하다. 사람과의 관계는 사물과의 관계보다 중요하다. 왜 사람과의 관계가 중요한지, 왜 사람과의 관계를 맺고 유지하기 위해서는 어떤 관계를 우선시해야 하는지에 대한 관심을 두는 사람은 많지 않다.

대부분 먹고살기 위하여 어쩔 수 없이 맺는 사회적 관계라고 생각한다. 좋은 관계이자 진정한 관계라고 할 수 없다. 좋은 관계이자 진정한 관계는 서로 간의 공통 맥이 없으면 맺기가 쉽지 않다. 공통 맥락이란 누구를 어디서 무엇 때문에 만나는지, 최우선으로 내가 만나야 할 사람인지, 먹고 살기 위한 만남인지, 그렇다면 형식적인 만남인지 아니면 어느 정도까지 지속해서 만날 것인지 등을 생각한 다음, 만나고자 하는 상대방과 맺음의 공통점과 그 공통점을 지속할 필요성을 공감한다면 그 맥락 그 자체가 그 사람과의 진정한 관계 맥락이 되는 것이다.

우리가 살면서 사람과의 관계를 어떻게 하느냐에 따라 우리의 삶이 달라진다는 사살을 우리는 알고 있다. 우리의 삶에 큰 영향을 미치는 사람과의 관계도 중요하지만 이를 유지하고 서로 배려하는 유지관계도 중요하다. 사람과의 관계는 행복이 될 수도 있고 성공이 될 수도 있다. 아니, 실패와 좌절이 될 수 있다.

사람과의 만남은 마당발 같은 양적인 관계가 아니다. 물 속 깊이와 같은 질적인 관계가 더 중요하다. 사람과의 관계에서 양적인 관계는 나를 중심으로 한 형식적이고 외면적인 요소가 짙다. 반면 사람과의 관계에서 질적인 관계는 상대방을 중심으로 한 서로 존중하고 인정하며 수용하는 내면적 요소가 짙다. 사회생활에서 사람과의 관계는 양적인 관계와 질적인 관계가 모두 필요하다.

그렇다면 어떻게 해야 사람과의 관계맺음과 관계유지가 가능할까? 사람과의 관계맺음은 성장하면서 홍수와 같이 밀려온다. 같은 시간과 같은 장소가 아닌 이상 홍수 속에서 모든 사람과 관계맺음과 관계유지를 하는 것은 현실적으로 불가능하다. 상대방과의 첫 만남에서 사람과의 관계는 시작한다. 하지만 첫 만남 이후 상대방과의 맺음과 유지는 단절되거나 지속되거나 소멸한다. 이런 변화 속에서 사람과의 관계맺음과 관계유지는 우선순위를 어디에 두고 어떻게 만남을 유지하느냐에 따라 사람과의 양적·질적인 관계는 변화한다.

사람과의 관계의 시작은 소통과 만남에 있다. 소통과 만남에서 관계는 생성되고 관계맺음은 유지되고 어느 정도 시간이 지나면 사라진다. 그 원인은 공통적인 맥락의 범위에서 벗어났기 때문이다. 이는 상대방에 대한 만남의 우선순위와 관심 부족이 만든 결과이다. 사람과의 양적·질적인 관계를 유지하기 위한 만남의 우선순위를 정한다면,

첫째, 정해진 만남은 목적을 정해야 한다. 정해진 만남은 그 만남의 목적이 무엇인지, 만남의 주요 대화내용은 무언인지, 만남에서 전달하고자 하는 핵심적인 말과 상대방의 전달하고자 하는 말의 의미는 무엇인지, 오늘의 만남으로 끝날 것인지 아니면 지속할 것인지를 생각하라는 의미다. 단, 우연적 만남은 상대방을 우선 존중해야 한다. 이후 만남이 있는 경우는 만남의 목적을 정하면 된다.

둘째, 첫 만남은 상대방을 배려하고 경청하는 것이다. 수많은 사람을 같은 시간과 같은 장소에서 서로 얼굴을 보면서 만난다는 것은 소중한 인연이다. 이는 상대방과의 만남은 나와 상대방 모두 소중하고 감사하게 생각하라는 의미이다.

셋째, 인상이나 성격이 나와 맞지 않더라도 상대방의 인격을 우선 존중하고 상대방이 나를 신뢰할 수 있는 사람

임을 각인시켜야 한다. 상대방의 관심사가 무엇인지, 나를 만난 목적이 무엇인지 등을 생각하고 눈과 귀를 열라는 의미다.

넷째, 나와의 공통적인 맥락을 찾아야 한다. 공통적인 맥락은 사람과의 양적·질적인 관계의 대상과 범위, 관계 맺음과 관계 유지를 정하게 해준다. 사람과의 만남에서 얻은 정보(명함, 인상, 성격, 직업, 취미, 외모, 사회적 지위, 언행 등)는 사람 관계의 우선순위를 정하는 데 큰 영향을 미친다

다섯째, 사람과의 관계 맺음과 유지를 위한 나만의 노트를 만든다. 노트에 무의미한 관계의 만남은 기록할 필요는 없다. 의미 있는 만남을 위한 노트에는 관계 맺음형과 관계 유지형으로 분류하여 기록한다. 관계 맺음형은 진정한 관계, 조직적 관계, 사회적 관계로 분류하여 기록해야 한다. 진정한 관계는 친구다. 친구 중에서 누구를 우선 만나고 이 친구와는 끊을 수 없는 진정한 친구관계이면 최우선순위로 정하고 기록한다. 조직적 관계는 직장 상사와 부하직원 중에서 누구누구와 좋은 관계를 갖고 조직의 상하 네트워크 관계를 맺을지를 우선 정하고 기록한다. 사회적 관계는 등산 동우회, 취미클럽과 같은 모임 회원 중에서 누구를 우선 중요시하고 그와의 관계를 먼저 할 것

인지를 정하고 기록한다. 관계 맺음형 우선순위는 영향력이 큰 순서대로 정리하고 기록한다. 관계 유지형은 단기 유지형, 중기 유지형, 장기 유지형 관계로 분류하고 기록한다. 단기 유지형은 1년 이내의 짧은 만남의 관계이다. 하루에 끝날 수도 있고 1년 가까이 유지할 수도 있다. 단기 유지형 관계는 형식적이고 정보 수집을 위한 만남의 경우가 많다. 단기 유지형은 많은 정보를 가진 사람과의 만남에 우선순위를 정하고 기록한다. 중기 유지형은 1년 이상 10년 이하의 만남이다. 중기 유지형 관계는 특정한 목적을 위한 프로젝트 사업과 같은 일정한 기간에서의 만남인 경우가 많다. 중기 유지형은 특정한 목적 달성에 영향력이 있는 사람 순으로 기록한다. 장기 유지형은 10년 이상 또는 평생을 같이 할 사람과의 만남이다. 장기 유지형 관계는 가족, 고향 친구, 학교 친구, 공통적인 맥락을 함께하는 사회친구처럼 삶과 행복을 늘 함께 할 사람이다. 장기 유지형은 가족, 진정한 고향 친구, 학교 친구, 맥을 같이하는 사회친구 순으로 기록한다. 관계 유지형 우선순위는 관계 맺음형 우선순위와 마찬가지로 영향력이 큰 순서대로 정리하여 기록한다.

여섯째, 관계와 유지의 우선순위는 만남과 관심에 있다. 시간이 지나면 우선순위도 변한다. 우선순위를 수시 업데이트하고 만남을 이어간다. 정말 만날 시간적 여유가 없을 때에는 관심의 표시로 휴대폰, 스마트폰, 쪽지 등을 통해 안부 인사나 공통적인 맥락의 정보를 수시로 공유한다

일곱째, 자기 자신을 축으로 사람과의 관계망을 그려 관리하는 것이다. 사람과의 맺음과 유지 우선순위를 백지에 관계 유형별로 그려 나와 삶의 여정을 함께 할 사람이 몇 명인지를 생각한다. 진정성이 있는 관계와 유지는 1명일 수도 있고 다수일 수도 있다.

사람과의 관계 우선순위가 우리 삶의 행복을 만들 수 있다. 또한 우선순위 선택 오류로 우리 삶의 불행을 만들 수 있다. 사람과의 관계 우선순위는 행복과 성공의 기준이라고 단정할 수는 없다. 또한 영향력이 큰 순서로 우선순위를 정하였다고 늘 좋은 관계가 된다고 보장할 수 없다. 우선순위와 관계없이도 그냥 좋아서 관계를 맺고 유지하는 경우도 많다. 이는 내면적인 의미를 그 본인만이 알 뿐이다. 하지만 세상은 그렇지 않다. 외면적인 의미와 내면적인 의미를 포함한 복잡한 관계망으로 이루어져 있기 때문이다. 사람과의 관계 우선순위는 우리 삶의 방향을 자기주도적인 좋은 관계로 유지 발전시킬 수 있다는 의미이다. 우선순위의 결정은 사람의 관심과 행동에 변화를 준다. 좋은 관계는 우리 삶에 행복, 지지, 성장을 가져

다준다. 하지만 관계는 저절로 이루어지거나 유지되지 않는다. 꾸준한 노력과 의식적인 태도가 필요하다.

[출구 팁] 관계 맺음과 유지를 위한 방법

	방법	세부 내용	예시
맺음	공통점 찾기	취미, 가치관, 관심사 등 공통점을 찾아 대화의 물꼬를 튼다	"저도 OO 좋아합니다!" "OO에 대해 생각해보니..."
	경청하기	상대방의 말에 진심으로 귀 기울이고 공감하며 이해하려 노력한다	"그렇군요.", "어떻게 느꼈나요?"
	긍정적인 태도 유지	밝고 긍정적인 에너지를 보여준다	웃으며 인사하기, 칭찬하기
	자신감 있게 행동하기	자신의 장점을 드러내며 당당하게 행동한다.	적극적으로 참여하기, 의견 제시하기
유지	꾸준한 소통	대화, 메시지, 전화 등을 통해 꾸준히 연락하고 소통한다	안부 물어보기, 일상 공유하기
	공동 활동	함께 취미 활동, 여행 등을 하며 즐거운 시간을 보낸다	동아리 활동, 여행 계획하기

지지와 도움	상대방에게 필요할 때 도움을 주고 지지해준다	격려하기, 도움을 자청하기
갈등 해결	의견 충돌이 있을 때 솔직하고 진솔하게 대화하며 해결한다.	경청하고 타협점 찾기
존중과 배려	상대방의 생각과 감정을 존중하고 배려하는 마음을 가진다.	의견 수렴하기, 감사 표현하기

63. 고래도 춤추게 한 칭찬(남여 차이)

칭찬을 하고 칭찬을 받음에는 남녀 차이가 있다. 남자는 결과에 대한 인정을 칭찬받고 싶어한다. 반면 여자는 목표에 이룰 때까지 삶의 소소한 모든 과정에 칭찬 받기를 원한다. 예를들면, 남자는 본성적으로 목표를 달성하고자 한다. 국가대표 축구경기가 있으면 우리나라가 어떤 팀과 경기를 하든지 무조건 이기길 원한다. 술을 먹으면서도 축구경기를 본다. 그리고 다음날 술이 깨면 몇대몇으로 이겼냐, 누가 골을 넣었냐, 경기 잘했냐 못했냐를 물어본다. 지면 감독 탓을 한다. 잘 차고 못 차고 문제가 아니다. 이겼냐 졌냐만 알면 된다. 이기면 잘했다고 칭찬하고 졌으면 감독의 전략과 전술이 잘못되었다고 탓하고 흉을 본다.

반면 여자는 삶의 소소한 과정에서 만족을 느낀다. 우리 아들이 밥은 잘 먹었을가? 우리 딸은 학원 갔다 집에 들어 왔겠지?, 남편 옷은 어떤 색으로 할까? 등 소소한 일에 관심을 가지고 이를 인정해주면 좋아한다. 칭찬은 목표도 중요하지만 무엇보다도 삶의 소소한 모든 과정에서의 칭찬이 진정한 칭찬이다.

칭찬은 고래도 춤추게 한다는 말처럼 칭찬은 긍정의 에너

지가 있다. 긍정의 에너지를 발휘하게 하는 칭찬에도 우
선순위가 있을까? 칭찬에도 우선순위가 있다. 우리가 알
고 있는 칭찬은 내가 상대방에게 하는 것이다. 상대방을
칭찬하면 어떤 에너지가 발생할까? 매우 작은 틈에서 빛
을 볼 수 있듯이 상대방의 작은 일을 칭찬하면 빛의 에너
지가 생긴다. 얼굴은 미소를 짓고 기분은 좋아지고 긍정
적인 자기효능의 힘이 만들진다. 칭찬으로 행복해지고 그
행복을 유지하기 위해 더 열심히 일하고 스스로 학습을
한다. 이런 효과를 얻을 수 있기 때문에 상대방의 작은
것부터 칭찬해야 한다. 칭찬은 내가 하지 않으면 상대방
은 칭찬을 받을 수 없다.

칭찬에도 우선순위는 있다. 칭찬은 칭찬하는 사람이 있어
야 하고 칭찬받는 사람이 있어야 한다. 칭찬하는 사람이
없으면 칭찬받을 수 없다. 또한 칭찬받을 사람이 없으면
칭찬해주고 싶어도 칭찬할 수 없다. 그렇다면 칭찬의 우
선순위는 어떻게 하면 좋을까? 칭찬의 우선순위는 첫째,
자기 자신을 먼저 칭찬하는 것이다. 내가 나를 칭찬하지
않는데 누가 나를 칭찬하겠는가? 아무도 칭찬하지 않는
데. 자기 자신을 칭찬하지 않고 상대방을 칭찬한다는 것
은 무의미하고 의도적이며 형식적인 칭찬에 불과할 뿐이
다. 둘째, 상대방의 작은 것부터 칭찬해야 한다. 나를 칭

찬해 행복하면 상대방도 행복하게 해주고 싶고 상대방에게 좋게 해주고 싶어 상대방의 작은 것에도 자연스럽게 칭찬을 하게 된다. 그렇다. 칭찬에는 우선순위가 있다. 칭찬의 우선순위는 상대방을 칭찬하기 전에 칭찬하는 나를 먼저 칭찬하는 것이다. 그런 다음에 상대방을 칭찬하면 서로가 만족스럽고 기분이 더 좋다.

[출구 팁1] 남녀 칭찬의 차이

1. 칭찬의 방향

(남자)

. 성취: 직업, 사회적 지위, 문제 해결 능력 등

　(예: "프로젝트 성공시킨 거 대단해!", "정말 능력있는 사람이야.")

. 능력: 운동 능력, 지적 능력, 기술적인 능력 등

　(예: "너 운동 실력 진짜 쩔어!", "그 문제 풀 줄 알았다니 대박!")

. 외모: 단정한 옷차림, 깔끔한 이미지 등

　(예: "오늘 정장 잘 어울리네!", "오늘 면도 잘 했어?")

(여자)

. 외모: 아름다운 외모, 꾸밈, 패션 등

(예: "오늘 진짜 예뻐 보이네!", "그 옷 너무 잘 어울리네!")

. 성격: 친절함, 배려심, 긍정적인 태도 등

(예: "너 진짜 상냥하고 좋은 사람이야.", "항상 밝아서 같이 있으면 기분이 좋아!")

. 능력: 예술적 감각, 창의성, 섬세한 작업 능력 등

(예: "너 그림 진짜 잘 그리네!", "정말 센스가 좋아!")

2. 칭찬의 표현

(남자)

. 직접적이고 명확한 표현 (예: "너 진짜 멋있어!", "대단해!")

. 비교를 통한 칭찬 (예: "우리 회사에서 너만큼 능력있는 사람 없어.", "내가 아는 남자 중에 너가 제일 멋있어.")

. 욕설이나 비속어를 포함한 칭찬 (예: "야, 진짜 쩔어!", "존나 잘했어!")

(여자)

. 간접적이고 은근한 표현 (예: "멋지다!", "잘 어울리네!")

. 감탄사나 긍정적인 형용사 사용 (예: "와, 대박!", "너무 예뻐!")

. 비교보다는 칭찬 대상의 특징을 구체적으로 언급 (예: "그옷 색깔 너무 잘 어울리는데 어디서 샀어?", "너 목소리 진짜 예뻐!")

3. 칭찬의 반응

(남자)

. 칭찬에 솔직하게 기뻐하고 감사 표현 (예: "고마워!", "칭찬해줘서 기분 좋아!")

. 겸손하게 굴면서도 자신감을 드러냄 (예: "아직 부족하지만, 노력하고 있어.","그래? 그렇게 생각해줘서 고마워!")

. 칭찬을 받아넘기면서 다른 사람도 칭찬 (예: "나도 너 덕분에 잘 할 수 있었어.", "우리 팀 모두 열심히 해서 그렇지.")

(여자)

. 칭찬에 부끄러워하거나 겸손하게 굴때 (예: "아니야, 그렇지 않아.", "괜찮아, 별일 아니야.")

. 칭찬을 받아들이기보다는 다른 사람에게 칭찬 돌리기 (예: "너도 예뻐!", "너도 잘했어!")

. 칭찬에 대한 감사 표현 (예: "고마워!", "칭찬해줘서 기

분 좋아!")

[출구 팁2] 칭찬할때 주의사항

. 여성의 외모만을 칭찬하는 것은 피하는 것이 좋다(성
  희롱 주의).

. 칭찬하는 사람과 칭찬받는 사람 사이의 권력 불균형을
  고려해야 한다.

. 칭찬받을 사람의 반응을 살펴보아야 한다.

. 상황과 맥락을 고려하여 칭찬하는게 좋다.

. 직접적인 칭찬보다는 간접적인 칭찬을 사용하는 것도
  좋다

64. 빨리빨리(빛과 그림자)

"빨리빨리"는 한국 사회를 상징하는 단어 중 하나이다. "빨리빨리'는 한강의 기적이라는 놀라운 발전을 이끈 원동력이면서 동시에 사회적으로 여러 문제를 야기하기 했다. 마치 빛과 그림자처럼, "빨리빨리"는 한국사회의 양날의 검과 같다

"빨리빨리"빛의 놀라운 성과는 한강의 기적이라는 경제성장이다. 1963년 1인당 GDP 1백달러 미만에서 2023년 기준 3만 달러 이상으로 세계경제 대국으로 성장했다. 세계 1위 반도체 생산량과 5G 네트워크 보급률 99%라는 최첨단 IT기술국으로 발전했다, 평균수명 85세로 세계 최고수준의 의료서비스 사회로 발전했다. "빨리빨리"의 그림자는 드러난 사회적 문제이다. OECD 국가 중 최고 수준의 자살률, OECD 국가 중 최장 근로 시간, 교통 사망률 OECD 국가 중 2위 등이다. 이 이외 한국은 시대적 상황과 의식에 따라 사회, 문화, 경제, 정치는 빠르게 변화했다. 한국은 이전에 불통, 빨리빨리, 비합리적인 경쟁이 통했다.

하지만 지금은 "빨리빨리"보다는 소통, 여유, 공유가 우선시되어야 할 시기다. 예를들면, 1970년 4월 8일 서울 마

포구 창전동 와우아파트는 붕괴되면서 가파른 경사 밑에 지었던 판잣집을 덮쳐 아파트와 판잣집에서 잠을 자던 주민 가운데 33명 사망, 38명 부상을 입었다. 1994년 10월 21일 아침 7시 40분경 출근길에 성수대교 붕괴로 32명 사망, 17명 부상을 입었다. 1995년 6월 29일 오후 5시 52분경 서울 서초동 소재 삼풍백화점이 부실공사 등의 원인으로 갑자기 붕괴되어 1천여 명 이상의 종업원과 고객들이 사망하거나 부상당하는 대형 사고였다. 2003년 2월 18일 대구광역시 중구 남일동의 중앙로역 출근시간에 일어난 대형 대구지하철 화재사고로 192명이 사망하고 148명이 부상을 입었다.

왜 이런 대형사고가 일어났을까? 근본적인 원인은 소통의 부재에 있다.이때에는 경제를 살리자는 기조로 무엇을 하든 빨리빨리 해야 했고, 무엇이든 빨리빨리 해야 하기 때문에 소통이 아닌 불통이 잘 먹혔다. 빨리빨리 건물을 지어야만 했기 때문에 부실공사가 있었고 빨리빨리 제품을 제조해야 했기 때문에 비합리적인 경쟁이 있었다. 빨리빨리, 불통, 비합리적인 경쟁을 최우선으로 묵인 하에 추진해서 그림자와 같은 큰 문제를 일으켰다. 그동안 빛만 바라보고 살아오지 않았나 반추해야 한다. 빛만 보지 말고 그림자도 봐야 한다. 최근 변화의 속도는 너무 빨라지고 있다. 빠른 시대변화에 적응하기 위해서는 무조건적인 빨리빨리의 문화나 의식도 변해야 한다. 비합리적인 경쟁, 일방적으로 끌고 가는 불통보다는 진정성이 살아 있는 쌍방향 의사소통, 느림 속의 여유, 함께 나누는 공유와 참여가 우리 모두의 최우선 과제이자 실천해야 할 과제이다.

해와 달이 뜨고 지는 속도는 규칙적이고 일정하다. 하지만 우리는 뭔가 모르겠지만 늘 바쁘게 살고 있다. 코스모스 가득 핀 고속도로를 시속 200km 이상으로 달린다면 아름다운 꽃 코스모스는 하나의 연결선이나 하나의 블록으로 보일 뿐이다. 코스모스의 아름다움을 만끽하고 싶으면 질주하는 차에서 내려 천천히 걸으면서 보면 자연의 아름다움을 생생하게 느낄 수 있다. 연어는 예외겠지만 물살이 급한 시냇물 속에는 물고기가 살지 않는다고 한다. 이는 느림과 천천히 그리고 때론 빨리빨리와의 조화가 있어야 살수 있다는 의미다.

한국은 '빨리빨리'의 문화 속에서 아직 살아가고 있다. IT와 AI 시대의 발달로 인해 모든 것이 빠르게 변화하고 있다. 사람들은 시간에 쫓기며 살아가고 있다. 그러나 이러한 '빨리빨리'의 문화는 스트레스, 불안, 우울증 등 다양한 문제를 야기한다. 반면에 '천천히'는 현재에 집중하고 삶의 작은 행복을 만끽하는 삶의 태도다. 이는 욕심과 경쟁에서 벗어나 자신과 자연을 소중히 여기는 가치관이다. '천천히'는 명상, 요가, 차 문화, 정원 가꾸기, 느림 등 다양한 방식으로 실천할 수 있다.

”빨리빨리“와 ”천천히“는 서로 상반되는 개념처럼 보이지만, 실제로는 조화를 이루어야 삶의 질을 높일 수 있다. 한국은 ”빨리빨리“ 문화와 ”천천히“ 문화를 모두 가지고 있으며, 이를 조화롭게 발전시켜 한류 시대(K-POP, K-영화, K-드라마 등)를 만들어 나가고 있다. ”빨리빨리“와 ”천천히“의 조화를 대표하는 한류로 K-POP은 빠르고 강렬한 리듬과 퍼포먼스를 기반으로 세계적인 인기를 얻었다. 동시에 팬들과 소통하고 감동을 주는 발라드나 힐링 음악도 많은 사랑을 받았다. K-POP은 '빨리빨리'와 '천천히'의 조화를 통해 세계적인 팬덤을 구축하고 있다. K-드라마는 빠르게 펼쳐지는 스토리와 흥미로운 사건들을 통해 시청자들의 몰입도를 높여주었다. 동시에 가족 간의 사랑, 친구 간의 우정, 인간관계의 복잡성 등을 섬세하게 표현하며 감동을 선사했다. K-드라마 또한 '빨리빨리'와 '천천히'의 조화를 통해 세계적인 인기를 얻고 있다. K-영화는 '빨리빨리'와 '천천히' 문화의 조화를 잘 보여준다. 액션 영화는 빠른 속도와 긴장감 넘치는 스토리로 관객들을 사로잡았고, 반면 드라마 영화는 인간관계와 감정을 섬세

하게 표현하며 여유로운 감동을 선사했다. 앞으로 한국은 ˝빨리빨리˝와 ˝천천히˝의 조화를 통해 더욱 발전하고, 세계에 긍정적인 영향을 미칠 나라로 성장할 것이다.

[출구 팁] 빨리빨리와 천천히의 조화 한류사례

콘텐츠	빨리빨리	천천히	조화결과	대표사례
K-POP	강렬한 리듬 빠른 템포, 퍼포먼스	발라드 힐링 음악 팬과의 소통	팬덤형성 세계적인 인기	BTS, BLACKPINK TWICE
K-드라마	빠른 스토리 전개, 흥미로운 사건, 긴장감	가족 간의 사랑 우정과감동 인간관계 묘사	몰입도 향상 세계적인 시청자 확보	대장금 오징어게임 갯마을 차차차
K-영화	액션 장면, 추격 장면, 시각적 효과	섬세한 감정표현 여유로운 스토리전개 문화 소개	다양한 연령층 공략 한국문화 홍보	기생충 뽀로로 파묘

65. 남편이 바람피는 이유(이것 때문이구나)

어느 블로그의 내용이다. '내 남편과 난 결혼 13년 차이다. 난 알고 있다. 내가 임신했을 때 나를 속였다는 사실을 안다, 내가 두 번째 임신을 했을 때도 매춘부와 잠을 잤다는 사실을 안다. 그는 왜 이랬는지를 나한테 설명하거나 사죄를 하지 않는다. 3개월 전에 회사 여자 동료와 만나고 있다는 사실도 알게 되었다. 직장 맘이었다. 그러나 그는 늘 나를 비난했고 아니라고 대화를 거절했다. 우리의 성 생활과 정서적인 마음은 사라졌다. 그래서 난 이혼하기로 했다'는 내용이었다.

왜 남자는 다른 여자에게 눈을 돌리는 것인가? 한 가지 재미있는 예를 비유하면 동물의 수컷들은 혼자 많은 암컷들을 소유하려고 한다. 사회동물학 시각에서 남자는 부인을 두고 다른 여성에게 눈을 왜 돌리는가 하는 문제와 연결해 볼 수 있다. 사회생물학 시각으로 보면 남자는 종족번식 본능이 있다. 이를 쿨리지 효과$^{(Coolidge\ Effect)}$로 설명할 수 있다.

쿨리지 효과란 닭 수컷은 동일한 암탉과 교미를 계속하지 않는다. 왜 그런지는 모르지만 수시로 다른 암컷을 만나 교미를 한다. 바로 이것이 쿨리지 효과다. 쿨리지 효과라고 불리게 된 계기는 미국의 대통령이었던 쿨리지^(Coolidge)와 그 부인^(Mrs. Coolidge)과의 대화에서 연유되었다. 쿨리지 대통령과 그 부인은 미국이 한 농장을 시찰 도중에 그 농장에서 기르고 있는 수탉 한 마리가 암탉과 정력적으로 교미하는 것을 보았다. 이를 보고 감탄한 쿨리지 부인은 농장 주인에게 이렇게 질문했어. '저 수탉은 정력이 정말 좋네요. 많은 암탉들과 매일 관계를 가지나 보죠. 지친 기색이 없네요. 쿨리지 대통령에게도 이 이야기를 좀 해주실 수 있죠?' 이 말을 전해들은 쿨리지 대통령은 농부에게 물었다. '그 수탉이 암탉 한 마리하고만 교미를 계속하던가요. 아니면 매번 다른 암탉하고 교미를 하던가요?' 농부는 그 수탉은 다른 암탉하고 매번 교미를 한다고 대답했다. 그러자 쿨리지 대통령은 이렇게 말했다. '바로 그 점을 내 아내에게 말해 주세요!'라고 말했다.

이는 사회생물학적 시각에서의 본능이지 인간은 동물과는 다르다. 동물은 발정기에 하지만 인간은 발정기에 관계없이 한다. 인간과 동물은 본능의 세계는 유사할 수 있으나 뛰어난 두뇌를 가진 정신의 세계는 동물과는 다르다. 이 말은 서로의 생각과 의식이 다름에도 이를 인정해주지 않고 있었다는 데 그 원인이 있다. 왜 이들 부부는 자신의 입장에서만 모든 것을 판단할까? 이는 상대방의 입장을 고려하지 않고 본능적 관점에서 자기 입장만 생각하기 때문이다. 자기 입장만 생각하기 보다는 역지사지로 상대방 입장에서 생각을 해야 한다. 먼저 상대방의 정신과 마인드는 나와 다르다는 점을 존중해야 한다. 경제적, 정신적, 정서적, 문화적 욕구 등을 서로 이해하고 인정해야 한다. 서로 공감할 사랑의 창을 먼저 열어줘야 한다는 의미다.

[출구 팁] 남편이 바람피는 이유(원인)와 아내의 대처방안

이유 (원인)	아내의 대처방안	예시
부부 관계의 문제	* 솔직한 대화: 서로의 감정을 솔직하게 나누고 문제점을 파악한다. * 공감과 배려: 배우자의 입장에서 생각하고, 그의 어려움에 공감한다. * 갈등 해결: 건설적인 방식으로 갈등을 해결하고 타협점을 찾는다	* "최근에 서로 소통이 부족한 것 같아. 혹시 힘든 일은 없니?" 라고 남편에게 솔직하게 물어본다. * 남편이 힘든 일을 털어놓는다면, 그의 이야기를 경청하고 공감하며 위로해준다. * 함께 시간을 보내면서 서로의 감정을 표현하고 얘기한다
	* 관심과 애정 표현:	* "오늘 저녁은 내가 직

	배우자에게 관심을 가지고 적극적으로 애정을 표현한다. * 공통 관심사 찾기: 함께 즐길 수 있는 취미 활동을 찾아 함께 한다. * 데이트: 함께 데이트를 하며 둘만의 시간을 갖는다	접 만들었어. 같이 먹자." 라고 말하며 남편에게 관심을 표현한다. * 함께 운동을 하거나, 영화를 보는 등 남편과 함께 즐길 수 있는 활동을 한다. * 주말에 함께 데이트를 계획하고 즐거운 시간을 보낸다.
	* 성생활 개선: 성생활에 대한 만족도를 높이기 위해 서로의 욕구와 선호도를 파악하고 대화한다. * 새로운 시도: 새로운 시도를 통해 성생활을 더욱 풍성하게 만든다.	* "요즘 성생활이 조금 아쉬운 것 같아. 혹시 괜찮니?" 라고 남편에게 조심스럽게 물어본다 * 서로의 욕구와 선호도를 솔직하게 이야기하고, 만족할 수 있는 방법을 함께 찾는다. * 새로운 장소을 활용하여 성생활을 더욱 즐겁게 한다.
남 편 개 인 의 문	* 자존감 향상: 남편의 장점을 칭찬하고 격려하며 그의 자존감을	* "당신은 정말 멋지고, 내가 믿는 사람이야." 라고 남편에게 칭찬을 아

제	높여준다. * 새로운 도전: 남편이 새로운 도전을 할 수 있도록 응원하고 지지한다.	끼지 않는다. * 남편이 새로운 취미를 시작하거나, 목표를 설정하는 것을 응원한다.
	* 상담: 남편의 자존감 문제 해결을 위해 전문가 상담을 고려한다.	* "최근에 자존감 때문에 힘들어하는 것 같아. 전문가 상담을 받는 것도 좋은 방법일 것 같아." 라고 남편에게 제안한다.
다 른 여 성 의 문 제	* 자신감 유지: 꾸준히 관리하며 자신감 있는 모습을 유지한다.	* 남편에게 매력적인 모습을 보여주며 관심을 유지한다.
	* 경계 설정: 남편과 명확한 경계를 설정하고, 외도를 용납하지 않는다는 태도를 분명히 한다.	* "만약 다시 외도를 한다면, 결혼 생활을 지속할 수 없을 것 같아." 라고 남편에게 명확히 말한다.
아 내 (본인) 의 문 제	* 자신의 문제점(소통) 부족: 남편과의 소통이 부족하고, 자신의 감정을 솔직하게 표현하지 못했다면	* "최근에 너와 소통이 부족한 것 같아. 혹시 힘든 일은 없니?" 라고 남편과 솔직히 얘기한다. * 남편과 의견 충돌이

/ 외모 관리 소홀: 결혼 후 외모 관리를 소홀히 하여 자신감을 잃었다면 /성생활 불만족: 성생활 에 대한 만족도가 낮고, 남편에게 적극적으로 다 가가지 못했다면 / 감정 적인 압박: 남편에게 지 나치게 의존하고, 감정 적으로 압박하는 경향이 있다면) 파악하고 자신 의 부족했던 부분을 되 돌아보고 개선하려 노력 한다.	있을 때, 감정적으로 격 앙되지 않고 차분하게 대화한다 * 꾸준히 운동하고 건강 한 식단을 유지하여 몸 매를 관리한다. * 새로운 헤어스타일이 나 메이크업을 시도하여 자신감을 높인다. *"오늘 밤 같이 했으면 좋겠어." 라고 남편에게 솔직하게 말한다. * 남편에게 모든 것을 기대하지 않고, 스스로 문제를 해결하려 노력한 다..

66. 가두리 기법(힘들지만 시도하기)

가두리〈Enclosure Technique〉는 바깥쪽, 가장자리를 뜻하는 '가'와 '두르다'가 합쳐진 말이다). 가두리는 일정한 공간의 둘레에 울타리를 둘러친 것을 뜻한다. 어느 심리학과 교수는 가두리 기법을 이렇게 설명하고 있다.

가두리 기법은 자신을 특정 환경이나 상황에 의도적으로 가두어, 원하는 행동이나 목표를 달성하도록 만드는 심리학적 기법이다. 이 방법은 외부 유혹이나 방해 요소를 제거함으로써, 특정 행동을 실행할 수밖에 없는 환경을 조성함으로써 자기 자신을 통제하는 데 초점을 맞추었다. 가두리 기법은 자기 통제력을 강화하고, 목표 달성을 위한 환경을 조성하는 데 유용한 방법으로 볼 수 있습니다. 그러나 이 기법은 개인의 성향, 목표의 성격, 그리고 특정 상황에 따라 다르게 적용되어야 한다. 자기 자신을 너무 극단적으로 제한하는 것이 반드시 모든 사람에게 긍정적인 결과를 가져오는 것은 아니기 때문이다. 이 기법을 사용할 때는 자신에게 맞는 적절한 가두리 범위을 설정하는 것이 좋다.

"소설 '레미제라블'과 '노트르담의 꼽추'를 쓴 19세기 프랑스 대문호 빅토르 위고, 그는 유희에 빠져 오랜 시간 글을 쓰지 않다가 어느 날 결심을 한다. 하인을 글방으로 데려가 속옷까지 다 벗어준 뒤에 해가 질 때까지는 절대로 옷을 갖다 주지 말라고 지시한다. 글을 쓸 수밖에 없는 상황을 만들어 자기 자신을 통제한 것이다. 어느 작가는 오랫동안 글을 쓰지 않아 생계가 막막해지자 고물상에서 교도소 철창을 구입해 집에 설치했다. 그리고는 원고를 탈고할 때까지 절대로 문을 열어주지 말도록 아내에게 부탁했다. 심리학자나 작가처럼 상황의 힘을 이용해 어쩔 수 없이 실천할 수밖에 없도록 자신을 속박하는 방법을 '가두리 기법(Enclosure Technique)'이라고 한다."

가두리 기법은 CEO, 예술가, 위대한 지도자만 활용하는 게 아니다. 누구나 활용할 수 있다. 누구에게나 가장 중요한 일이 있음에도 힘들고 어렵고 왠지 하기 싫으면 이런 저런 핑계로 하지 않으려고 하는 것이 사람의 심성이다. 성공한 사람들은 중요한 것을 회피하기보다는 자신을 가두리에 넣고 스스로 문제를 해결한다. 누구나 정말 해야 할 중요한 것, 절대 버릴 수 없는 중요한 일이 있다면 자신을 가두리에 넣고 일을 하게 만들어야 한다.

버려서는 안 되고 꼭 해야만 하는 것이 있다면 이런저런 핑계로 회피하는 방법을 선택하기보다는 중요한 일을 할 수밖에 없도록 의도적으로 가두리에 넣어야 한다. 가두리

안에 나쁜 일이 있으면 즉시 가두리 밖으로 버리고. 좋은 일이면 벼랑 끝이라 생각하고 일에 몰입하는 것이다. 내가 지금까지 이런저런 이유와 핑계로 성취하지 못한 중요한 것이 있다면 가두리 기법을 한번 활용해 보는 것도 좋은 방법이다.

개그콘서트에 나오는 유행어에 이런 말이 있다. '이건 제가 할게요. 느낌 아니까….' 이 말은 내가 일을 해봤기 때문에 역지사지의 입장과 느낌으로 일을 할 수 있다는 의미다. 싫다고 회피하거나 능력이 부족하다고 억제하기보다는 자신감을 가지고 나를 가두리에 넣어 보자. 불가능할 것 같았던 일을 성취할 수 있을 것이다.

[출구 팁] 적절한 가두리 기법 적용방법과 활용사례들

1. 학습 분야 : 특정 시간 동안 학습에만 집중하고, 그 시간 동안에는 모든 방해 요소를 차단한다. 휴식 시간도 사전에 계획하여 효율적인 학습을 도모한다.

 [사례: 폴란드의 심리학자인 우지마그 안드지에스키는 집중력 향상을 위해 '25분 학습 후 5분 휴식'이라는 포모도로 기법을 개발했다. 이 방법은 학습자가 짧은 시간 동안 고도의 집중력을 발휘하고, 규칙적인 휴식을 통해 지속 가능한 학습 효율을 유지할 수 있었다.]

2. 건강 관리: 일상 생활에서 건강한 습관을 체화하기 위해 특정 시간을 운동이나 명상, 취미 활동 등에 할애한다. 이 시간 동안에는 다른 일을 하지 않고 오직 건강을 위한 활동에만 집중한다.

[사례: 오프라 윈프리는 매일 아침 명상을 하는 것으로 유명하다. 그녀는 이 시간을 자기 관리와 정신적 안정을 위한 중요한 시간으로 여기며, 바쁜 일정 속에서도 꼭 지켰다.]

3. 창의력 발휘 : 창의적인 아이디어를 발산하기 위해 일상에서 '무작위의 시간'을 설정한다. 이 시간 동안에는 일상적인 패턴이나 습관에서 벗어나 새로운 활동을 시도하거나, 다양한 분야의 정보를 접한다.

[사례: 구글은 직원들이 자신의 주 업무 외에 20%의 시간을 자신이 관심 있는 프로젝트에 할애할 수 있도록 하는 정책을 시행하였다. 이러한 정책은 구글 맵스, 지메일 등 혁신적인 서비스의 탄생에 기여했다.]

4. 스트레스 관리 : 스트레스를 관리하고 정신적 건강을 유지하기 위해 취미 활동이나 외부 활동에 정기적으로 시간을 할애한다. 이러한 활동은 일상의 스트레스로부터 벗어나 재충전하는 시간이 된다.

[사례: 빌 게이츠는 매년 '사색 주간'을 갖었다. 이 기간

동안 그는 기술과 비즈니스 관련 서적을 읽고 미래의 전략을 구상하는 등, 바쁜 일상에서 벗어나 깊은 사색에 잠겼다.]

5. 작업 전용 공간 설정: 집이나 사무실 내에 작업 전용 공간을 마련한다. 이 공간은 오직 작업을 위한 곳으로, 다른 활동을 하지 않도록 한다. 이를 통해 해당 공간에 들어설 때마다 자연스럽게 작업 모드로 전환되는 심리적 효과를 누릴 수 있다.

[사례: 유명한 소설가 조지 오웰은 스코틀랜드의 외딴섬, 조라에 있는 오두막에서 《1984》를 집필했다. 그는 도시의 소음과 방해 요소로부터 벗어나 작업에만 집중할 수 있는 환경을 조성함으로써 그의 대표작을 완성할 수 있었다.]

6. 디지털 기기 사용 제한 : 작업 시간 동안 휴대폰, 인터넷, 소셜 미디어 등의 사용을 제한한다. 필요한 경우, 앱 블로커나 웹사이트 차단 프로그램을 사용해 디지털 유혹을 차단한다.

[사례: 일본의 유명 작가 무라카미 하루키는 집필 작업 중에는 인터넷을 사용하지 않고, 이메일을 확인하지 않으며, 전화 통화도 최소화했다. 이러한 습관은 그가 작업에 완전히 몰두할 수 있었다.]

7. 시간 블록 설정 : 하루 중 특정 시간을 작업 시간으로 설정하고, 그 시간 동안에는 오직 작업에만 집중한다. 이른 아침이나 늦은 밤과 같이 방해 받지 않는 시간대를 선택하는 것이 좋다.

[사례: 미국의 작가 메이비스 갤런트는 매일 아침 5시에 일어나 3시간 동안 글을 썼다. 그녀는 이 시간을 자신만의 '신성한 시간'으로 여겼으며, 이 시간 동안에는 어떤 방해도 받지 않았다.]

8. 목표 설정과 보상 시스템 : 단기 및 장기 목표를 설정하고, 각 목표 달성 시 자신에게 보상을 제공한다. 이는 작업 동기를 유지하고, 일의 진행 상황을 추적하는 데 도움이 된다.

[사례: 스티븐 킹은 하루에 2,000단어를 쓰는 것을 목표로 한다. 목표 달성 후에는 오후 나머지 시간을 가족과 함께 보내거나, 취미 활동에 시간을 할애한다. 그는 이러한 일상적인 목표와 보상 시스템을 통해 꾸준히 작품 활동을 이어갈 수 있었다.]

67. 삶은 녹화방송, 재방송 아니다(삶은 생방송이다)

삶은 녹화방송이나 재방송이 아니다. 삶은 되돌릴 수 없는 한 번뿐인 생방송이다. 녹화방송이나 재방송은 실수를 수정하거나 원하는 대로 편집할 수 있지만, 생방송은 그렇지 않다. 예상치 못한 상황이 발생할 수도 있고, 실수를 저지를 수도 있지만, 그 모든 순간들이 돌이킬 수 없이 우리 삶의 일부가 된다. 우리의 삶은 생방송이다.

생방송처럼 리얼하게 사는 사람들이 삶의 주인공이다. 예들들면, 축제의 열정을 담은 댄서가 바로 그 주인공이다. 춤사위 하나하나에 온 힘을 다하며, 관객과 함께 벅찬 감정을 나누는 댄서는 생방송처럼 리얼하게 사는 사람들의 대표적인 예다. 실수를 두려워하지 않고 순간의 열정을 맘껏 표현하며, 삶의 즐거움을 전달한다. 즉흥 연극의 배우다. 즉흥 연극 배우는 대본 없이 무대를 만들어나가는 도전을 한다. 예상치 못한 상황에 유연하게 대처하며 창의적인 해결책을 찾아낸다. 이는 삶의 변화에 능동적으로 대처하고 새로운 기회를 만들어가는 태도를 보여준다. 긴급 상황에 맞서는 소방관다. 소방관은 위험을 무릅쓰고 생명을 구하는 생명의 수호자다. 매 순간 긴장감을 유지하며 최선을 다해야 하는 소방관의 삶은 생방송과 다름없다. 예상치 못한 상황에 침착하게 대처하고, 빠르고 정확한 판단으로 위기를 극복한다. 도전과 경험을 하고 싶은 여행가이다. 여행은 계획을 세우고 떠나기도 하지만, 여행 중에 예상치 못한 만남과 경험들이 삶을 더욱 풍요롭게 만들기도 한다. 계획에 없었던 곳을 방문하거나, 새로운 사람들을 만나면서 잊지 못할 추억을 만들어나가는 것이다. 여행처럼 삶의 여정을 즐기고, 새로운 경험을 두려워하지 않으며, 삶의 아름다움을 발견해나가는 것이다. 이처럼 한분한분이 생방송의 주역이다. 나도 주역이다.

한국 어느 가수의 노래 '인생은 생방송' 가사를 보면 '비바람 부딪히며 살아온 세월 하루가 백년이네. 인생은 재방송 안 돼. 녹화도 안 돼. 오늘도 나 홀로 주인공'이라는 노래에서 보듯이 우리의 삶은 생방송이다. 보고 싶을 때 보는 재방송도 아니고 녹화했다가 보고 싶을 때 내 과거를 보는 녹화방송도 아니다. 삶의 무대에서 있는 그대로 생생하게 살아 움직이는 주연이다.

생방송은 누구에게나 공평하다. 누구에게나 똑같이 주어진 공평한 이 순간을 즐기자. 지금 이 순간 이 책을 읽는 나에게 다시 시간은 되돌아오지 않는다. 되돌아갈 수 없기 때문에 후회와 실수는 용서하고 지금 이 순간을 만끽해야 한다. 이 순간 나는 무엇을 하고 어떻게 할 것인가를 정해야 한다. 행복은 저절로 따라온다. 이 순간은 어제나 내일이 아니다. 이 순간은 나라는 존재 자체로 지금 생방송일 뿐이다.

생방송은 후회와 실수가 따라다닌다. TV를 보면 생방송 중 실수하고 후회하는 경우를 종종 본다. 그럴수 있다. 나는 신이 아니기 때문이다. 삶이 마감되기까지는 생방송 삶이라는 사실을 인지해야 한다. 삶은 녹화방송처럼 완벽하게 되돌릴 수 없는 생방송이다. 실수와 아쉬움도 있지만, 동시에 진정성과 몰입, 도전과 성장, 연결과 공감을 경험할 수 있는 소중한 시간이다. 지금부터 삶의 생방송을 즐기며 리얼하게 살아가는 삶을 실천해보자.

[출구 팁] 생방송처럼 리얼하게 사는 삶의 실천
1. 삶의 주인공으로서의 자세
1) 자신의 가치관과 목표 설정
사회적 기준이나 타인의 기대에 휩쓸리기보다는 자신에게 진정으로 중요한 가치를 찾고, 이를 바탕으로 목표를 설정한다.
 [예시: "사회에 기여하는 삶", "자유로운 예술가의 삶", "가족과 함께 행복한 삶" 등 자신만의 가치관을 기반으로 목표를 세우는 것이 중요하다.]

2) 자신의 감정을 이해하고 표현하기

자신의 감정을 솔직하게 인정하고 표현하는 것은 건강한 삶의 중요한 요소다.

[예시: 감정 일기를 쓰거나, 믿을 수 있는 사람에게 자신의 감정을 털어놓는 것이 도움이 된다]

3) 능동적인 선택과 책임감

삶의 방향과 선택에 책임감을 가지고 적극적으로 행동해야 한다.

[예시: 새로운 취미를 시작하거나, 새로운 사람들을 만나거나, 새로운 환경에 도전하는 등 능동적인 자세를 통해 삶을 풍요롭게 만든다.]

2. 현재에 집중하는 태도

1) 마음챙김

명상, 요가, 심호흡 등 마음챙김 연습은 현재에 집중하는 데 도움이 된다.

[예시: 매일 10분씩 명상 시간을 갖거나, 일상생활 속에서 주변 환경에 집중하며 호흡에 집중하는 연습을 한다.]

2) 감사하는 마음

현재 가진 것에 감사하는 마음을 갖는 것은 삶의 만족도를 높인다.

[예시: 감사 일기를 쓰거나, 감사하는 마음을 가진 사람들에게 감사를 표현하는 등 감사하는 마음을 실천한다].

3)작은 행복에 집중

일상 속에서 작은 행복을 발견하고 마음껏 즐기는 것이다.

[예시: 좋아하는 음악을 듣거나, 따뜻한 차 한 잔을 즐기거나, 자연 속에서 산책하는 등 작은 행복을 찾는다].

3. 열정과 도전

1)새로운 경험과 도전

새로운 경험과 도전을 통해 삶의 활력을 얻고 성장할 수 있다.

[예시: 새로운 취미를 시작하거나, 여행을 떠나거나, 새로운 분야의 학습을 시작하는 등 다양한 경험을 통해 삶을 풍요롭게 만든다.]

2) 목표를 향한 노력

목표를 향해 끊임없이 노력하는 과정은 삶에 의미와 가치를 부여한다.

[예시: 목표를 달성하기 위한 계획을 세우고, 꾸준히 노력하며, 과정에서 발생하는 어려움을 극복하는 경험을 통해 성장한다.]

3) 긍정적인 사고방식

어려움과 실패에도 긍정적인 사고방식을 유지하며 극복하려는 노력이 중요하다.

[예시: 실패를 통해 배우는 점을 찾고, 다음 도전을 위한 발판으로 삼는 긍정적인 사고방식을 가진다.]

4. 연결과 소통

1) 진정한 관계 형성

진정한 관계를 형성하고 유지하는 것은 삶의 중요한 가치이다.

[예시: 가족, 친구, 연인 등 가까운 사람들과 진솔하게 소통하고, 서로를 지지하며 관계를 발전시켜나가는 것이다.]

2) 사회와의 소통

사회 구성원으로서 사회와 소통하고 기여하는 것은 삶의 의미를 찾는 데 도움이 된다.

[예시: 자원봉사활동, 지역 사회 활동 등 다양한 방식으로 사회에 기여한다.]

3) 다양한 사람들과의 교류

다양한 사람들과의 교류를 통해 새로운 관점을 얻고 성장할 수 있다.

[예시: 온라인 커뮤니티 참여, 문화 행사 참여 등 다양한

방식으로 사람들을 만나 교류한다].

5. 삶을 예술처럼 살아가기
1) 자신의 강점과 재능을 발견하고 발휘하기
자신에게 타고난 강점과 재능을 발견하고 이를 발휘하여 삶에 의미와 가치를 부여한다
[예시: 자신의 강점을 활용하여 사회에 기여하거나, 재능을 발휘하여 예술 활동을 하는 등 자신만의 방식으로 삶을 표현한다].
2) 새로운 시도와 도전:
틀에 박힌 사고방식을 벗어나 새로운 시도와 도전을 통해 삶의 폭을 넓힌다.
[예시: 새로운 분야의 학습을 시작하거나, 여행을 통해 새로운 문화를 경험하거나, 새로운 사람들을 만나는 등 다양한 경험을 한다.]
3) 삶의 이야기 기록하기
자신의 삶의 이야기를 기록하는 것은 삶을 돌아보고 의미를 찾는다.
[예시: 일기, 블로그, 사진, 영상 등 다양한 방식으로 자신의 삶을 기록하고, 이를 통해 삶의 발자취를 되돌아보고 성장을 확인할 수 있다.]

6. 끊임없는 성장과 발전

1) 실수를 두려워하지 않는 태도

실수는 성장의 기회이며, 이를 통해 배우고 발전시킨다.

 [예시: 실수를 통해 자신의 부족한 부분을 파악하고 개선할 수 있으며, 이는 삶의 성장으로 이어진다.]

2) 피드백 받아들이기

주변 사람들의 피드백을 겸손하게 받아들이고 개선하려는 노력이 중요하다.

 [예시: 객관적인 시각에서 자신의 부족한 부분을 파악하고 개선한다]

3) 끊임없는 자기 계발

독서, 학습, 경험 등 다양한 방식으로 끊임없이 자기 계발을 한다.

 [예시: 새로운 지식을 배우고, 새로운 기술을 습득하며, 다양한 경험을 통해 삶의 지혜를 키운다.]

4) 변화를 받아들이고 적응하기

삶은 끊임없이 변화하며, 이러한 변화를 받아들이고 적응하는 능력이 중요하다.

 [예시: AI시대 변화에 유연하게 대처하고 새로운 기회를 찾는 긍정적인 태도를 가진다]

68. 미로 속 일상(출구는 있다)

일상 생활은 사람들이 정기적으로 참여하는 일상적인 활동과 경험을 말한다. 아침에 일어나 출근하거나 학교에 가고, 가족과 친구와 상호작용하며, 일상적인 작업을 수행하고 여가 활동을 즐기는 것 등이 모두 이에 포함된다. 일상 생활은 문화, 사회 경제적 지위, 개인적인 선호도 등의 요인에 따라 크게 다르지만, 일반적으로 일, 관계, 책임 및 여가 활동의 조합을 포함한다.

미로는 사용자들이 미로를 헤치며 해결하는 복잡한 경로나 통로의 네트워크를 말한다. 미로는 종이에 그려진 간단한 퍼즐부터 생목이나 벽 등으로 만들어진 복잡한 구조물까지 다양하다. 미로를 탐색하는 목표는 일반적으로 입구에서 출구까지의 경로를 찾는 것이다. 이 과정에서 막다른 골목, 꼬리돌이, 그리고 굴곡을 극복해야 출구로 나올 수 있다.

우리는 일상생활속에서 일, 관계, 책임 등의 미로게임을 하고 있다. 때로는 길 잃고 헤매기도 하고, 때로는 막막함에 휩싸이기도 한다. 특히 현대 사회의 빠른 속도와 복잡한 인간관계 속에서 우리는 쉽게 일상의 미로에 빠져들고 탈출구를 찾지 못한다. 소소하지만 끈적한 이러한 미로는 우리의 삶에 대한 의욕을 꺾고 스트레스를 유발하는 주범이 되고 있다.

일상의 미로는 눈에 보이지 않는 족쇄와 같다. 일상의 미로로 첫째, 개인적인 고민의 미로다. 사랑, 가족, 건강, 미래에 대한 불안과 고민은 우리를 깊은 절망의 미로로 몰아넣는다. 예로 부부간의 가치관 차이, 경제적 문제, 대화문제, 남편 또는 아내의 늦은 야근으로 인한 잦은 부부갈등. 자녕양육방식에 대한 의견 충돌, 자녀의 반항적 태로로 인한 갈등, 과도한 학업스트레스로 인한 자녀의 불안감, 아파트 층간 소음, 주차장 주차문제 등의 개인과 연결된 미로에서 산다. 둘째, 인간관계의 미로이다. 출세를 위한 끊임없는 경쟁, 친구 자녀와의 성적 비교, 타인의 시선에 대한 압박, 이웃과의 소음이나 음식냄새 갈등과 오해로 가득한 인간관계는 우리를 지치게 만드는 미로와 같다. 셋째, 직장 생활의 미로이다. 업무 과중, 불안정한 고용, 성과에 대한 압박, 상사와 직원과의 문제 등 직장 생활의 스트레스는 탈출하기 어려운 미로를 만든다. 넷째, 선택의 미로이다. 멀티탭, 세척제, 전등, 수저, 그림책 등 생활용품을 선택할 때 방대한 양의 정보속에서 최적의 제품을 선택하면 좋으나 이것도 사고 싶고 저것도 사고 싶은 심리로 인해 과도한 소비를 하는 경우가 많다. 또한

SNS광고에 유혹되어 불필요한 물건 구매, 저렴한 각격에 쇼핑 중독, 온라인 쇼핑몰에 최저가 찾기로 인한 시간 낭비 등으로 과도한 소비와 정보과다에 놓여있다. 이것이 최적의 선택 상실요인이다. 이렇듯 끊임없이 정보와 선택을 강요받는 현대 사회는 우리를 선택의 미로에 갇히게 만든다. 잘못된 선택에 대한 두려움은 스트레스와 불안감을 키우기 때문이다. 다섯째, 반복적인 업무의 미로다. 끊임없는 청소, 설거지, 빨래 등 매일 똑같은 업무를 반복하면서 성취감을 느끼지 못하고 답답함을 느끼는 경우가 많다. 여섯째. 미래에 대한 불안의 미로다. MZ세대는 불확실한 미래에 대한 불안감으로 인해 현재에 집중하지 못하고 취업, 창업 등 걱정과 두려움에 사로잡혀 자신의 능력에 대한 부정적인 생각으로 인해 새로운 도전을 하지 못하고 기회를 놓치는 경우가 있다. 일곱째, 목표 부재의 미로다. 뚜렷한 목표 없이 흐릿하게 살아가면서 방향감을 상실하고 삶에 대한 의욕을 잃는 경우가 의외로 많다.

이러한 일상생활속의 미로에서 나침반 역할을 하는 방법을 찾아보자. 먼저, 자신을 돌아보는 시간을 갖자. 혼자만의 시간을 갖고 자신이 원하는 것이 무엇인지, 어떤 삶을 살고 싶은지 깊이 생각해보는 것이 중요하다. 둘째, 목표 설정이다. 명확한 목표를 설정하고 이를 이루기 위한 계획을 세우는 것은 미로에서 나아가는 방향을 제시해주는 나침반과 같다. 셋째, 긍정적인 마인드을 갖는 것이다. 긍정적인 사고방식은 어려움 속에서도 희망을 잃지 않고 탈출구를 찾도록 도와준다. 넷째, 전문가의 도움 요청하는 것이다. 혼자 해결하려고 애쓰지 말고 친한 친구나 친한 지인에게 도움을 요청하거나 전문가의 도움을 받는 것도 좋다. 다섯째, 무엇인가 새로운 시도를 해본다. 익숙한 환경에서 벗어나 새로운 것을 시도하는 것은 새로운 길을 찾는 데 도움이 된다.

일상생활속의 미로는 우리에게 고통과 스트레스를 안겨주지만 동시에 성장의 기회를 제공한다. 미로에서 벗어나는 과정은 스스로를 돌아보고, 삶의 방향을 설정하며, 어려움을 극복하는 능력을 키워준다. 끈기와 노력을 통해 미로를 넘어서는 순간, 우리는 더 넓고 풍요로운 세상을 경험하게 될 것이다.

일상생활 속 미로는 삶의 일부이며, 누구나 한 번쯤은 경험하게 됩니다. 중요한 것은 미로에 갇혀 좌절하고 포기하는 것이 아니라, 탈출구를 찾기 위해 노력하는 것입니다. 자신을 돌아보고, 새로운 도전을 하고, 긍정적인 사고방식을 유지하며, 필요하면 전문가의 도움을 받는다면 미로를 벗어나 새로운 길을 찾을 수 있을 것입니다. 일상의

미로는 우리 삶의 일부분이다. 아래 팁은 일상생활 속 미로의 몇 가지 사례를 보여주는 예시이며, 개인의 상황에 따라 다양한 미로가 존재한다. 탈출구를 찾는 방법은 개인의 성격, 가치관, 환경 등에 따라 달라질 수 있으며, 여러 가지 방법을 조합하여 사용하는 것이 효과적이다.

[출구 팁] 일상생활속 미로에서 탈출구 찾는 방법

1.집에서

미로 사례	탈출구 찾는 방법
1. 아침에 일어나기 힘들다	1. 숙면을 취하기 위해 규칙적인 수면 시간을 유지한다. 2. 잠자리에 들기 전에 스마트폰 사용을 줄이고, 편안한 환경을 조성한다. 3. 알람 시계를 멀리 놓아 잠에서 완전히 깨어날 수 있도록 한다. 4. 아침 일찍 일어나 햇빛을 쬔다면 기분 전환에 도움이 된다
2. 무엇을 먹을지 결정하기 어렵다	1. 미리 식단을 계획하고, 필요한 재료를 미리 준비한다. 2. 간단하고 건강한 식사를 섭취할 수 있도록 냉장고와 찬장을 정리한다.

	3. 다양한 레시피를 탐색하고, 새로운 음식에 도전한다. 4. 배달 앱 사용을 줄이고, 직접 요리하는 시간을 늘린다
3.퇴근 후 할 일이 너무 많다	1. 중요한 일부터 우선순위를 정하고, 시간을 효율적으로 활용한다. 2. 일부 일은 다른 사람에게 맡기거나, 외부 서비스를 활용한다. 3. 일과 휴식의 균형을 맞추고, 충분한 휴식 시간을 확보한다. 4. 스스로에게 너무 엄격하지 않고, 완벽주의를 버린다
4.주말에 무엇을 할지 모르겠다	1. 새로운 취미를 시작하거나, 좋아하는 활동을 즐긴다. 2. 친구나 가족과 시간을 보내고, 소통을 늘린다. 3. 여행을 계획하거나, 새로운 장소를 탐험한다. 4. 집콕 시간을 즐기며, 독서나 음악 감상 등을 한다.
5.집안 정리하기 어렵다	1. 단계별로 정리 계획을 세우고, 꾸준히 실천한다. 2. 필요 없는 물건은 버리거나 기부한다. 3. 정리 시스템을 구축하고, 유지한다. 4. 가족이나 친구들과 함께 정리하면 더 효과적이다

6. 반복적인 집안일과 육아가 힘들다	1. 가족과 역할 분담 및 시간 관리를 한다 2. 전문적인 도움(청소,돌봄서비스,가사도우미) 활용한다. 3. 자신을 위한 휴식 시간을 확보한다
7. 가족과의 갈등이 있다	1. 솔직하고 긍정적으로 대화를 한다 2. 타협점을 찾고 서로를 존중하는 태도를 유지한다 3. 전문가의 상담 (가족 상담, 부부 상담) 고려한다
8. 부부/부모 - 자녀 갈등이 있다	1. 솔직하고 진솔한 소통을 통한 서로의 입장을 이해한다. 2. 타협점 모색 및 갈등 해결 방안 마련한다 3. 전문가의 도움(가족 상담, 부부 상담 등)을 받는다
9. 불친절한 이웃 때문에 스트레스 받는다	1. 직접적인 대화를 통해 문제를 해결한다. 2. 관리사무소 또는 지자체의 도움 요청한다 3. (필요시)증거 확보 및 법적 대응한다
10. 사생활 침해를 받는다	1. 명확한 경계 설정 및 단호한 태도를 유지한다 2. (필요시)증거 확보 및 법적 대응을 한다 3. 다른 곳으로 이사를 고려한다
11. 혼자 있는 것이	1. 혼자만의 시간을 즐길 수 있는 취미를 찾는다. 2. 명상이나 요가 등을 통해 마음의 안정을 찾

외롭다	는다. 3. 자신과의 대화를 통해 자신을 더 잘 이해한다. 4. 새로운 사람들을 만나고, 다양한 활동에 참여한다. 5. 온라인 커뮤니티나 동호회에 가입하여 공통 관심사를 가진 사람들과 교류한다. 6. 가족이나 친구들과 시간을 보내고, 소통을 늘린다.
12. 돈을 관리하기 어렵다	1. 가계부를 작성하고, 소비 패턴을 파악합니다. 2. 목표 금액을 설정하고, 계획적인 소비를 습관화한다. 3. 불필요한 지출을 줄이고, 저축하는 습관을 기른다. 4. 재테크에 관심을 가지고, 올바른 투자 방법을 익힌다.
13. 돈이 부족해서 어려움을 겪는다	1. 추가 수입을 얻거나, 지출을 줄이는 방법을 모색한다. 2. 재정 상담을 받고, 전문적인 도움을 받는 것을 고려한다. 3. 소비 습관을 개선하고, 계획적인 소비를 습관화한다. 4. 저축과 투자를 통해 경제적 안정을 이루기 위한 노력을 기울인다.
14.건강이	1. 건강검진을 받고, 전문적인 치료를 받는다.

좋지 않아 일상생활 에 지장을 받는다	2. 건강한 식습관과 규칙적인 운동을 통해 건강을 관리한다.
	3. 충분한 휴식을 취하고, 스트레스 관리에 신경쓴다.
	4. 건강 관련 정보를 습득하고, 건강한 생활 습관을 기른다.
15.미래에 대한 불안 감을 느낀 다	1. 현재에 집중하고, 감사하는 마음을 갖는다.
	2. 목표를 설정하고, 이를 이루기 위한 계획을 세운다.
	3. 자신감을 키우고, 긍정적인 사고방식을 유지한다.
	4. 필요하면 전문가의 도움을 받아 불안감을 해소한다.

2. 일에서

미로 사례	탈출구 찾는 방법
1.일에 집중 하기 어렵다	1. 작업 공간을 정리하고, 방해 요소를 최소 화 한다.
	2. 시간 관리 앱을 활용하여 집중 시간과 휴식 시간을 명확하게 구분한다.
	3. 좋아하는 음악을 듣거나, 가벼운 운동을 통해 집중력을 높인다.
	4. pomodoro 기법 등 집중력 향상 기법을

	활용한다.
2.삶의 의미를 찾기 어렵다	1. 자신이 가치 있다고 생각하는 일을 찾고, 헌신한다. 2. 다양한 경험을 통해 자신을 이해하고, 삶의 방향을 설정한다. 3. 다른 사람들과의 관계 속에서 의미를 찾고, 공동체 활동에 참여한다. 4. 끊임없이 배우고 성장하며, 더 나은 삶을 추구한다.
3.결정을 내리기 어렵다	1. 정보를 충분히 수집하고, 다양한 옵션을 고려한다. 2. 장단점을 비교 분석하고, 자신의 가치관에 따라 결정한다. 3. 다른 사람들에게 조언을 구하거나, 의견을 수렴한다. 4. 결정을 내린 후에는 후회하지 않고, 앞으로 나아간다.
4 . 집중력이 떨어진다	1.집중력 향상 기법을 활용한다. (예: pomodoro 기법) 2. 방해 요소를 최소화하고, 집중하기 좋은 환경을 조성한다. 3. 충분한 휴식을 취하고, 건강한 식습관을 유지한다. 4. 규칙적인 운동을 통해 스트레스를 관리

	한다
5.사람들과의 관계에서 어려움을 겪는다	1. 명확한 의사소통을 하고, 상대방의 입장을 이해하려 노력한다. 2. 적극적으로 경청하고, 공감 능력을 키운다. 3. 건강한 관계를 유지하기 위한 노력을 한다. 4. 필요하면 전문가의 도움을 받아 갈등을 해결한다.
6.사람들 앞에서 발표하는 것이 긴장된다	1. 충분한 준비를 하고, 연습을 통해 자신감을 키운다. 2. 심호흡을 하고, 긍정적인 마음으로 임한다. 3. 청중과의 눈높이를 맞추고, 자신감 있는 태도를 유지한다. 4. 실수를 두려워하지 않고, 즐겁게 발표하는 것을 목표로 한다.
7.무의미하고 지루한 일을 한다	1. 새로운 목표 설정과 내 MBTI성격에 맞는 일을 찾는다 2. 업무 효율 개선과 시간을 생산적으로 관리한다 3. 일과 삶의 균형 유지를 위해 노력한다
8.과도한 책임감으로 스트레스를 받는다	1. 역할에 맞게 책임감 분담요구와 도움을 요청한다 2. 선택에 대한 두려움을 자기성찰로 극복한다 3. 책임감으로 인한 긍정적인 측면에 집중

	한다

3. 일상생활에서

미로 사례	탈출구 찾는 방법
1.일상에 지루함을 느낀다	1. 새로운 취미를 시작하거나, 새로운 경험을 해본다. 2. 여행을 계획하거나, 새로운 장소를 탐험한다. 3. 목표를 설정하고, 이를 이루기 위한 노력을 기울인다. 4. 긍정적인 사고방식을 유지하고, 감사하는 마음을 갖는다.
2. 긍정적인 마음 유지하기 어렵다	1. 감사하는 마음을 가지고, 작은 행복에 집중한다. 2. 자신을 긍정적으로 바라보고, 긍정적인 자기 대화를 한다. 3. 좋아하는 활동을 하고, 즐거움을 느낄 수 있는 시간을 만든다. 4. 긍정적인 사람들과의 관계를 유지하고, 긍정적인 에너지를 얻는다.
3.시간 관리에 어려움을 겪는다	1. 시간 관리 앱을 활용하거나, 할 일 목록을 작성한다. 2. 중요한 일부터 우선순위를 정하고, 시간을 효율적으로 활용한다.

	3. 집중력을 높이는 방법을 익히고, 방해 요소를 최소화한다.
	4. 충분한 휴식 시간을 확보하고, 일과 휴식의 균형을 맞춘다.
4.새로운 것을 배우기 어렵다	1. 흥미 있는 분야를 선택하고, 목표를 설정한다.
	2. 작은 목표부터 시작하고, 꾸준히 학습한다.
	3. 다양한 학습 방법을 활용하고, 자신에게 맞는 방법을 찾는다.
	4. 다른 사람들과 함께 학습하면 더 효과적이다.
5.과도한 소비를 한다	1. 소비 계획 수립하고 지출 관리 습관을 형성한다
	2. 전문가의 도움(재정 상담, 중독 상담)을 고려한다
	3. 충동적인 소비 자제 및 필요한 물건만 구매한다
	4. 만족하는 마음을 가지고 소중한 물건으로 관리한다
6.선택이 곤란한다	1. 온오프라인 정보 검색과 비교 분석을 한다
	2. 자신에게 필요한 기준을 설정한다
	3. 신뢰할 수 있는 사람의 조언을 구한다
7.사람들과의 관계에서 갈	1. 명확한 의사소통을 하고, 상대방의 입장을 이해하려 노력한다.

등이 생긴다	2. 적극적으로 경청하고, 공감 능력을 키운다. 3. 건강한 관계를 유지하기 위한 노력한다. 4. 필요하면 전문가의 도움을 받아 갈등을 해결한다.
8.배신과 실망을 느낀다	1. 자신을 돌보고 감정을 정리하는 시간 갖는다 2. 전문가의 도움(상담, 치료) 고려한다 3. 새로운 만남과 관계를 형성한다
9.나를 남과 비교한다	1. 자신의 장점과 강점에 집중하고 감사하는 마음을 갖는다 2. 다른 사람과의 비교보다는 자기 발전에 집중한다 3. 긍정적인 마인드 훈련과 자신감 향상에 노력한다
10.외로움과 고립감을 느낀다	1. 솔직하고 긍정적인 대화를 통해 에너지를 얻는다 2. 서로를 존중하는 태도를 유지한다 3. 전문가의 상담(심리상담 등)를 받는다
11.여가 활동이 부족하다	1. 새로운 여가 활동에 도전한다 2. 흥미로운 여가 활동을 찾는다 3. 여가 시간 활용 계획을 수립하여 실천한다
12.취미 활동에 만족 못한다	1. 다양한 취미 활동을 시도한다 2. 취미 생활을 위한 시간을 확보한다 3. 취미 활동을 통한 만족감을 얻는다

13.중요한 약속 시간을 잊어버리는 경우가 많다	1. 메모 앱이나 알람 기능을 활용하여 약속 시간을 관리한다. 2. 캘린더를 활용하여 일정을 체계적으로 관리한다. 3. 약속 전에 미리 알림을 설정하여 잊지 않도록 한다. 4. 주변 사람들에게 약속을 알리고, 상기 시켜 달라고 부탁하는 것도 좋은 이다
14.끊임없이 잡념이 들고 마음이 편안하지 않다	1. 명상이나 요가 등을 통해 마음을 차분하게 한다. 2. 운동을 통해 스트레스를 해소하고, 긍정적인 에너지를 얻는다. 3. 충분한 휴식을 취하고, 숙면을 취한다. 4. 필요하면 전문가의 도움을 받아 스트레스 관리를 한다.

Afterword

누구에게나 "나는 할 수 있다"는 가능성의 문은 열려있다.
하지만 "나는 한다"의 행동의 문은 열려 있지 않다.
미로 속 일상에서 나를 찾는 행동의 문 출구는 내 마음과
동시에 행동에 있다.

아무일도 하지 않으면 아무일도 일어나지 않는다. 소소한
일상 속에서 무슨일이든 시작하자. 그러면 무슨일이든 일
어난다. "하지 않는 사람"은 하지 않는 방법만 찾고, "하
는 사람"은 하는 방법만 찾는다.

이 책을 읽은 독자는 읽고 바로 미로 속 일상을 되는 행
동으로 실천할 사람이기 때문에 "하는 사람"이다.
"나는 할 수 있다"는 가능성의 문을 열려있으니, "나는
한다"라는 행동의 문을 열고 앞으로 나아가면 "하지 않는
일, 안되는 일"도"하는 일, 되는 일"로 변화할 것이다.

미로 속 일상

발 행 | 2024년 4월 29일
저 자 | 박근수
펴낸이 | 한건희
펴낸곳 | 주식회사 부크크
출판사등록 | 2014.07.15.(제2014-16호)
주 소 | 서울특별시 금천구 가산디지털1로 119 SK트윈타워 A동 305호
전 화 | 1670-8316
이메일 | info@bookk.co.kr

ISBN | 979-11-410-8312-0

www.bookk.co.kr
© 박근수 2024